世界文学の扉をひらく

＊

第四の扉

人生に深淵を見た人たちの物語

立野正裕

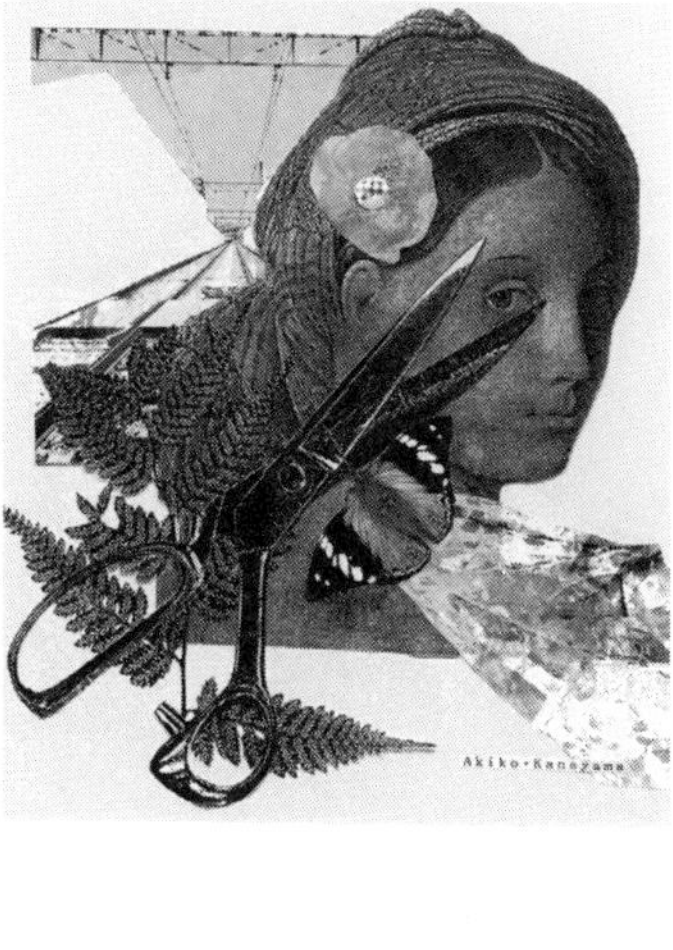

スペース伽耶

世界文学の扉をひらく ＊ 第四の扉 人生に深淵を見た人たちの物語 目次

第1章

現代の奈落に向かって

――クライスト作『チリの地震』

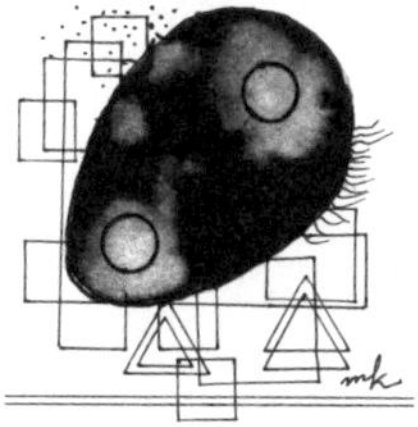

作品紹介

十七世紀半ばの一六四七年、チリ王国の首府サンチャゴが猛烈な大地震に襲われた。おりしもこの町の牢獄に囚われの身となっていたのはイェロニモという青年であった。町の有力者アステロン家の家庭教師だったが、同家の娘ヨゼーフェと深い仲になり、父親の怒りを買って放逐された。いっぽう娘もまた父親の命によりカルメル会の尼僧院に送られた。それでも二人の恋人同士は人目を忍んで僧院の中庭で密会を重ね、やがて娘は身重となった。あるときにわかに産気づいて尼僧院のなかで赤子を産み落とした。このためヨゼーフェとイェロニモは町中の怨嗟《えんさ》の的となった。裁判がひらかれ、神を恐れぬ不届きしごくの所業の報いとして、ヨゼーフェには斬首刑が申しわたされた。

この由を聞き知ったものの、われもまた囚われの身であるイェロニモにはまったくなすすべもなかった。絶望に駆られ、愛するヨゼーフェとともに自らもこの世を去ろうと決心した。一本の綱をたまたま手に入れたので、それを使って首を吊ろうとした。地面が揺らぎ、天井が落ちてきたのはまさにその瞬間であった。

崩れた牢獄の壁の隙間からかろうじてはい出し、イェロニモが市中のありさまを見ると、目の前にはこの世の地獄が現出していた。もしやもしやと思いながら廃墟と化したサンティアゴの街をさまよい歩き、川のほとりで赤子を腕に抱えた若い母親を見いだした。胸を躍らせながら聖母マリヤの名を唱えた。なんと、それこそ愛するヨゼーフェとわが赤子《あかご》フィリップにほかならなかった。天の奇跡に救われたこの哀れな者たちは、どんな悦びをもってかたく抱き合ったことであろう。ヨゼーフェは事の次第を語った。

刑場に引かれてゆくさなかにとつじょ地面が揺らぎ、その混乱に乗じて刑吏の手を逃れたこと、尼僧院に駆けつけ、院長の手からわが子を受け取ったそのとたん僧院は壊滅したこと、院長はじめすべての尼僧たちが瓦礫《がれき》の下敷きになってしまったこと……。こうしていま無事に再会しおおせたが、自分たちの幸運と幸福のために、いかばかりの悲惨事がこの世に演じられなくてはならなかったことだろう。

かれらの近くに五、六組の家族が火を焚いて、あり合わせながら食事の支度をととのえていた。なかにはかねて顔見知りのフェルナンドーとその身内の者たちもいた。かれらの優しい歓待を受けながら、イェロニモとヨゼーフェの胸には一種異様な思いが湧いた。かくまで親愛と好意をもって迎えられるのを見れば、あの刑場のことや獄舎のことや、すべていままでのことをどのように考えればいいのだろうか。自分たちはただ夢を見ていたにすぎないのではなかろうか。人々の感情はあの恐ろしい災難に揺り動かされて以来、すべて融け合ったように思われた。

ヨゼーフェは天人の仲間入りをしたような気がした。この世に悲惨事のかずかず起こったきのうの日さえ、未曾有の天恵であったと思わざるを得ないのだった。この天地荒涼たるときに、ただ人のたましいのみはうるわしい花のごとく咲き出るように思われた。また人々の話題は日常の愚にもつかぬ茶飲み話とちがい、非凡の行為の実例のみであった。

とかくするうちに大地の鳴動も止んだ。集まった人々がようやく胸をなでおろしていると、次のような報知が伝えられた。ドミニコ派の一寺院だけは崩壊をまぬがれたから、そこで今後の無事を祈るため荘厳なミサが営まれるというのであった。イェロニモとヨゼーフェほど熱誠のこもる感謝を天上にささげた者もなかったであろう。一同は打ちそろってミサに出かけた。

儀式が始まった。一人の老僧が天に向かって両手を差しのべ、万物ことごとく崩壊したこの地にもなお、生きながらえて神に向かって祈り得る人々のあることを賛美し感謝した。

老僧は僧侶の巧みな弁舌をふるい、次のように語った。されど市の風紀の退廃、旧約聖書に記されるソドムやゴモラのような堕落した町でさえ及ばぬほどの蛮風にさらされながら、それでも全滅にいたらなかったのは、ひとえに神のかぎりない寛大さによるものである。老僧はさらに説き進んだ。カルメル会尼僧院の庭で重ねられた密会やときならぬ出産までの経緯を、実名を挙げて難詰した。そして、これら罪人を地獄の王に引き渡すべきであるとまで言明した。

座はにわかに色めき立った。誰かが手をのばすやヨゼーフェの髪をつかんだ。イェロニモを打ち倒す者があった。フェルナンドーとその身内の者たちも巻き添えにされた。神徳を笠に着た残忍さがその場に姿を現わしたのである。

一　白昼に夢見る人間

司会　きょうはドイツ作家のクライストの『チリの地震』で、岩波文庫の『O侯爵夫人』という短編集に収録されていますが、鷗外訳もよく知られています。最初にいつものとおりAさんにお話ししていただいて、それから討論ということになります。ではよろしくお願いします。

A（講師）　有名な鷗外の訳は擬古文ですがじつに名文ですね。この物語に描かれる地震は実際にチリで十七世紀の半ば、一六四七年五月十三日に起きたんです。サンチャゴを壊滅させた大地震だった。手もとの世界史年表には出ていないんですが、クライスト全集の解題をお手元にお配りしましたから、それをごらんいただくと、チリ地震があったということがお分かりになります。

けれども研究者のあいだでも、クライストがどういう情報源からそのチリ地震に関する知識を得たのかははっきり知られていない。あとでまたこの解題については触れさせてもらいます。

クライストというと、まず第一に劇作家クライストとしてのほうが知られているでしょう。岩波文庫でも『こわれがめ』という喜劇がはいっていて、中編小説の『ミヒャエル・コールハースの運命』もはいっています。ですからクライストに関心を持っていらっしゃる方は少なくないのではないか。そのなかでもとくにこの『チリの地震』は別格と言いたいくらいの傑作です。

クライストの作家的な力量がどういう性質のもので、どれくらいの規模のものだったか。地震の用語で言うとどの程度のマグニチュードを持った作家だったかということをうかがうのに、まさにこれこそ格好の作品ではないかと思います。

クライストが生きた時代というのは、十八世紀の末から十九世紀の初めの時代ですね。この講座で扱った作品でいうと、『思いがけぬ再会』のあのヘーベルの時代と言ってもいい。すなわちフランス革命、それからナポレオン戦争にかけての数十年がちょうどクライストの生涯に対応している。

クライストは一七七七年に生まれていますが、一八一〇年代の初めにはもうこの世を去っている。三十四歳でピストル自殺を遂げてしまう。ある女性と合意のうえで自殺してしまうのです。その自殺をめぐって、研究者のあいだでほぼ定説に近い見方ができあがっています。

非常に豊富な、劇作家としての力量と想像力に恵まれていましたし、本人も十分それを自覚していたにもかかわらず、めぐり合わせというのか、ことごとく自分の意図が裏目に出てしまって、劇作家としての成功をなしとげることがとうとうできなかった。おもに、そのことが厭世的な気分をつのらせた理由の一つとされる。

自分の才能をクライストは自覚していたし、客観的にもその才能はあった。にもかかわらず失意のうちに死を選んだのが、たんに世間的な意味で成功しなかったからだとだけ解釈するのは、いかにも皮相な見方ではないかという気もわたしにはします。

というのは、ナポレオンが登場してくる前のフランス革命からのこの数十年のヨーロッパの激動が、ドイツ語圏に生まれたクライストにどんな影響を及ぼしたか、それがそのクライストの文学者としての、あるいは劇作家としての想像力や考え方の基本に、どういう関連を持つのか、というところからも考えませんと、クライストの生涯もやはり見えてこないのではないかと思われるからです。

冒頭に述べたように『チリの地震』は、それ自体は歴史的にクライストが生まれる百五十年ぐらい前に実際に起きた事件を扱っているわけです。だがそれを一つの天変地異を描いた作品として読むのか、それとも天変地異を物語の骨格に据えながら、クライストが自分の世界観なり、人生観なり、価値観なり、あるいは世界の根本を見るものの見方・まなざしを表現しようとしたのか、読者は自ら選ばなくてはならない。個人的な関心から言えば、当然わたしは、クライストがたまたまあるものすごい物語を書いたのだというふうには思わないのです。

お配りした「解題」ですけれど、なかほどのところをちょっとごらんいただきましょう。七四ページの後半のところからちょっと読んでみます。「一六四七年五月一三日の首都サンチャゴを壊滅させたチリの地震について、かなり細かい知識をクライストがどんな情報源から手に入れたのかは、知られていない。リスボンの地震（一七五五）の起きた一年後に出されたカントの『地震の注目すべき出来事の歴史と自然記述』という著作が、何らかのきっかけとなったものだろう」と、この解題を書いた研究者はコメントしています。

リスボンの地震はサンチャゴのチリ地震から約百年後ですね。クライストの基本的な価値観や哲学や人生観にカントの哲学がそうとうに深い影響を与えています。で、それはともかくですがカントの引用を含むくだりを読んでみますか。

「そこでは次のように述べられているからである。『地面が自分の足元で揺り動かされたときとか、自分のまわりの一切ががらがらと落ちたときとか、水底でうねっていた水が高波となってそうした不幸の仕上げをしたときとか、死の恐怖、すべての財産がすっかり散逸してしまったための絶望、そして阿鼻叫喚する人たちの姿を目にすることがどんなに毅然とした勇気をも挫けさせるときなどには、どうしても人間は驚愕にとらわれてしまうものだが、その驚愕を少しでも分かるように示すには、想像力が頭に浮かべられる限りの戦慄的な事柄をかき集めねばならぬ。そのような小説があるなら、人の心を動かすだろうし、人の心に働きかける力があるのだから、ひょっとしたら人心の良化向上への力をも持っているかもしれない。だが、そうした物語は私はもっと上手な書き手に委ねたい』という一節が右のカントの著述のなかに見えている。」

研究者はこのカントの要請、想像力ある作家の到来の要請にクライストが応えたのだと推定しているわけです。確かにそうであろうと考えられます。問題はそのカントが、現実に地震というような天変地異というかたちで人々の生活を根底から覆すようなそういう災害がもたらされたとき、その災厄に対して人間の側はそれを後世の人に伝えるためにどんな手段があるかというときに、想像力という手段を用いるほかはないと言っていることです。

しかもそれゆえ、その想像力は災害の規模に匹敵するような深さと広さ、洞察、そういった効果を持った想像力でなくてはならない、とカントが述べていることですね。

この要請にクライストは応えようとした。クライストの芸術家としての実験とか野心、あるいは目ざすべきところ、というのがカントの影響を受けたものだというふうに考えるならばそういうことになる。

人間の想像力のとうてい及ばないような出来事や事件やを、自分の想像力でどこまで追求できるのか。それがクライストの生涯の課題だったのではないか、とわたしは思うのです。

作品にはいる前にちょっと先まわりするようで恐縮ですが、クライストが結局自殺を選んだ背景には、フランス革命というこれまでのヨーロッパの歴史で未曽有《みぞう》の出来事があった。作者はそれに魂の根本から深甚なる影響を受けつつ青春時代を迎える。ところがその、人間に基本的な権利とか、人間のこの世における存在の全面的な肯定とか、そういったものを打ち出してそれを実現させようとしたフランス革命が、やがて恐怖政治を迎えるでしょう。そして革命が逆に政治の空洞状態を生み出してゆく。その空洞状態のなかからナポレオンという際立った人物が現われてくるわけです。

そのナポレオンに対しては、トルストイなどはまったくナポレオンの偉大さを認めない立場ですね。歴史を作り出した個人としてのナポレオンというものをロシアの文豪は認めないわけです。けれども、トルストイとはまた別の仕方で、クライストもナポレオンをなんとかして否定しようとしたのです。

クライストの伝記を読みますと、かれはナポレオン暗殺を本気で考えて計画を立てたとまで書かれています。たとえばロシアのレールモントフとかプーシキンとかあるいは世紀末のロープシンとか、ああいったような詩人や作家、自分の思想や観念や想像力を現実と一致させようと夢見る、現実と対応させようとする、そういうことを真剣に考える人たちの系譜というものがあることは事実です。そのことをわれわれは知っていなくてはなりません。クライストもそういう人々の系列につらなる芸術家だったのではなかろうかと思われるからです。

わたしなどはイギリス文学をかじっているせいでたちどころに想起するんですが、そういう人々の系譜というのは、アトランダムに言ってもたとえばバイロンですね。それから二十世紀にはいってからも、第一次大戦中にアラビアのロレンスという人物が実在した。こういう人物などは精神的な系譜から言って、ハインリッヒ・フォン・クライストと近親関係にあるのではないか。

アラビアのロレンスはあるとき自分の著作のなかでこういうふうに言いました。

「人間は夢を見る。しかし真昼に夢を見る人間は危険である。なぜならば真昼に見られる夢は、その実現を自ずから追及するからである。」

クライストの生涯をおおざっぱにたどってみるだけでも、ナポレオン暗殺を計画するというふうに、かれが「真昼に夢を見る人間」だったことは歴然としていると申しても差し支えないでしょう。

それから劇作家として申せば、クライストの目標はゲーテだった。当時ヨーロッパでシェイクスピア以来最も人々の尊敬を集めた大劇作家、つまり芸術におけるナポレオン級のそういう人物だったのがゲーテでした。そのゲーテを凌駕《りょうが》するような作品を自分は書くという野心に燃えた。とてつもない自信のほどがしのばれるわけですが、政治や現実の場面においてナポレオンを倒すという計画を本気で考えたそのクライストが、ひるがえって芸術の世界では、ゲーテを凌駕してみせるという計画を立て、こちらも実行しかけた。ところがその力量がとうてい自分にはそなわっていないと思ったのか、それ以外のもっと密かな理由があったのかはともかく、途中でその劇作を放棄してしまい、原稿を全部焼き捨ててしまう。そのあげくの自殺です。

そして自殺にいたるちょうど一年前に、この『チリの地震』という作品が『小説集』（一八一〇年）に収録されているのです。

こういうクライスト自身のすさまじい生涯を念頭に置きながら、『チリの地震』を読み直してみますと、やはりいくつかの顕著な特徴が浮かび上がってくる。

一つには、このたかだか数十ページの短編小説のなかで……おそらくウォルター・スコットというような作家だったら、またバルザックとか、トルストイとか、ドストエフスキーとかだったら、三巻本の大長編小説を構想するだろうような物語的な要素が、ぎゅうぎゅうに詰めこまれている。

しかし驚くのはこれが短編として書かれ、ドイツ語の散文のいわば最高の達成の一つにかぞえられていることです。

物語のプロットを見ると、まず何千何百という人々が一瞬のうちに瓦礫《がれき》の下に押しつぶされてしまった巨大な地震という大きな出来事、歴史に刻まれるような大きな出来事がいっぽうでは描かれる。他方では、親の許さぬ、あるいは世間の許さぬ愛情関係のなかから子どもを産んだというので引き離され、恋人たちの双方ともが処刑されるという非常にパーソナルな出来事が対置されている。この極端なまでの対照関係ですね。これがこの小説の特徴の一つだろうと思う。

すなわち、白と黒とか、赤と黒といったふうに、あるバランスを取った対照関係なのではない。むしろ大きいものと小さいものとか、高いものと低いものとか、なにかこう壮大なものと非常にパーソナルなものとか、そういった性質の非対称な対照関係が際立っている。

それが、物語を読んでいくうちに、最初にそう思われていたものがじつはそうではなくて、パーソナルなものが大地震の規模にも匹敵するような事件、出来事だったのだということが、あとになるにしたがって分かってくる。少なくともそのようにひたひたと読者に感じられてくる。物語のその展開、そういう感情や洞察へ持ってゆく作者の想像力、もしくは芸術家のまなざしにはものすごいものがある。

すなわち、親も、世間も、信仰も許さない関係を、どこまでも追及して行って、それが巨大な天変地異である歴史的な地震と対比されて、大きな天災である地震のゆえに、人々の心のなかには許しの感情、あるいは寛容さ、そういった精神がいっぽうでは現われてくる。そこにわれわれは、大災害のなかにありながらある種の救いのようなものを感じる。

そういうふうに物語の前半では、すべての人々が根本的な不幸のどん底に落とされたときに、どん底のさらにどん底から湧き起こってくるような、お互いのお互いに対する人間的共感とか、同情とか、許しとか、寛容さとかが描かれている。

ところが物語の後半になりますと、こんどは一転してその寛容さを逆手《さかて》に取って、寛容さをもたらしたはずの絶対者というか、超越者というか、神というか、その至高の存在の名のもとに、非寛容な、酷薄な、冷酷な、残虐な、残忍な、いわば人間性のいちばん唾棄《だき》すべき低劣な部分が、とつじょ集団的なかたちを取って噴出してくる。それが狡猾にも秩序の名のもとに、実体は無秩序でしかあり得ないものが噴出して、主要な登場人物を次々に、それこそまたたくまに粉砕し尽くすのです。

そのすさまじさは、数千人を飲み込んでしまった自然災害としての地震に匹敵するような、あるいはそれに対応するような、人間的な悲惨さのきわみであり、残酷さのきわみであり、いっそ戦禍にもなぞらえられるような、そういう残虐さである。物語の後半で読者はそういう圧倒されるような感じを持たされるわけです。

わたしはこの小説をこれまで数回読みましたが、一回目はただただ圧倒されて、うーんとうなってしまったきりでした。気を取り直して、これをみなさんといっしょに読んでいろいろと意見をうかがいたいと思ったのです。

ここへ来る前にもういちど読み直しましたが、クライストという人は小説としてこれを書いたわけですけれども、同時に劇作家としても確かに……シェイクスピアの再来とか、あるいはギリシア悲劇時代のエウリピデス級の劇作家の再来とか、その生前に評判が立ったこともあるということが伝記に書いてありました。

事実、劇的な想像力がこの小説には縦横に駆使されている。わずか数十ページにまとめるというか、書ききってしまう。ほとんど一気呵成《いっきかせい》に書いたのではないかと思われますが、頭が爆発するようなそんな感じを受ける。やはりものすごい才能と言わざるを得ない。

おおざっぱにイントロダクションとして述べたいことは以上です。お読みになったみなさんがいだかれた感想を具体的にうかがいながら、わたしももう少し自分の考えや感想を述べてまいりたいと思います。

二　群衆のパニックとローマ的市民精神

司会　それではいまのお話と、お読みになった感想にもとづいて、みなさんから自由に発言していただくことにしましょう。まず率直な感想を述べていただくところからまいりましょうか。どなたからでもどうぞ。

B（二十代男性）　震災をきっかけに、人間らしさが展開された局面のあとに、こんどは逆に、教会の聖職者の言葉一つで人間が野獣と化していく。教会の教えで非人間的なものが表面化する。これは、キリスト教批判の物語とも読めそうです。

Ａ　確かにそう読めますし、そう読まざるを得ないですよね。キリスト教の聖職者がこれを読んだら、やはり神の恩寵とか神の偉大さがここに描かれているとはけっして思わないでしょう。

Ｃ（五十代女性）　さきほどカントのことを言われましたが、クライストはカントの影響を非常に深く受けたようですね。でしたらその影響について、もう少し詳しくお願いします。

Ａ　カントの『純粋理性批判』という難解な本があるんです。わたしは学生時代に読みかけて挫折したままですから、じつを言うと他人の受け売りなんですが、その論をたどってゆくと、カントが論証していることは、真理というものはこの世の人間の認識力では究極まで届くことができない。それが反駁できないような厳密さで書かれているというのですね。

クライストはカントのその『純粋理性批判』を読んで真理探究への道を断念した。つまり自然科学を放棄した。そして芸術に活路を見いだしたと言われている。

芸術の道へ活路を見いだしたが、実生活上のクライストは、当時婚約していた女性に宛てた手紙で、「自分は乗り越えがたい虚無を心のなかにいだいてしまった」と書いている。ですからいっぽうで虚無をかかえてしまったクライストが、青年期、活路を見いだすのに芸術家としては劇作と小説を目ざし、他方では婚約者を伴ってスイスのある農村に行って、農夫として生涯を送りたいと本気で考えたらしい。ところが婚約者がそれに応じなかった。そのため婚約を破棄してしまった。

なぜスイスの農村で農夫の生活を送りたいと考えたのか。それはカントと並んで、クライストに対するもう一つの大きい影響源だったルソーのせいだとされています。だからクライストの精神のなかで、カント的なものとルソー的なものがせめぎ合って、ルソー的なものになんとか精神上の活路を見いだそうとしたと言ってもいいんじゃないか。

これを追求すると、話がかなり観念的になりますから、あんまりここで詳しく言うのは控えたほうがいいでしょうけれど、それでも言っておいていいことがあります。

たとえばクライストの時代に先立って、若いゲーテが『若きウェルテルの悩み』という小説を書いていますね。ゲーテがあの青春小説で描いたのは、まさにそういう対立なんですよね。そのときはカントを意識したわけじゃないし、ルソーを意識したわけでもない。でもすでにゲーテのなかで、カント的なものにいずれゆく精神の方向と、いずれルソー的なものとして現われる精神の方向とが、ウェルテルの精神のなかでせめぎ合っていて、それがものすごい圧力で主人公を締め上げげる。窒息するような圧力で締め上げるのです。耐え切れなくなって、ウェルテルはピストル自殺を遂げる。そういう物語を若き日にゲーテは書いているわけです。

のちの時代のクライストは、念頭にそのゲーテを置き、文豪を凌駕しようと思った。けれども、クライストは偉大な同時代人哲学者であるカントとルソーとのあいだの深い谷間に落ち込み、その谷間で苦しんだ人だったというふうにわたしには見える。

キリスト教的なものは、もう人間の救済のよすがとしては信頼されていない。カントが真理の認識は人間には不可能だと言っているんですから、信仰しかない。信ずるしかないはずなのです。それなのにその信仰が信頼を失っている。

ですから、カントに影響を受けた青年がどこへ精神の活路を見いだすか。そのときやっぱりルソーへ行くのが時代の必然だったでしょう。これはクライストだけではない。ヨーロッパ全域にルソーの影響が普及した。イギリスだったら十九世紀の初めのあたりです。もし、フランス革命直後から考えるならワーズワース。

ロマン派最大の詩人ワーズワースは青年期、ルソーの影響を受けました。わざわざフランス革命を見に行ったが、まのあたりにしたのが恐怖政治だったのです。政治と革命に深く失望して詩人はイギリスへ帰って来る。さらに遍歴を続けたのち生まれ故郷の湖水地方へ帰って、一生その自然をきわめようと努力し続けるわけです。その思想的な背景にあったのがルソーですね。

ワーズワースの有名な言葉に、「子どもは大人の父親である」というのがある。この言葉の背景にあるのがルソーです。ルソーの考え方には、人間は無垢な存在としてこの世に生まれるが、育ってゆくプロセスで必然的に社会もしくは世間というものの悪や汚れを身に帯びてしまう。つまり生まれにおいては無垢だが、経験において悪を身につけていく、というのがルソーの考え方ですね。その影響をワーズワースのモットーとされる右の言葉が端的に表わしている。

ですからクライストの時代は、クライスト特別の人生の……なんと言うか、自殺へ向かって傾斜してゆく非常に極端な表われというふうに単純にとらえたらまちがうとわたしは思うわけです。多かれ少なかれ、感受性豊かなまじめな青年はみなルソーの影響を受けました。その同じ影響圏のなかに、突出した才能を持つクライストもいたということから、この小説も読んでいったほうがいいいんじゃないか。

B　チリはカトリックで、ドイツはプロテスタントでしたっけ。

A　クライストの時代はそうです。物語も一六〇〇年代のこのころは宗教革命のずっとあとですね。

B　プロテスタントとカトリックとの争いといったものはなかったんですか。

A　チリはカトリックだから、プロテスタントとカトリックの抗争とか軋轢《あつれき》というのはない。スペインもない。だから聖母というのは、カトリックだったら聖母崇拝になるわけだ。宗教改革そのものの軋轢はここには反映されていません。

司会　修道院というのはカトリックですよね。

B　修道院に女性を入れることに対するクライストの批判が描かれているのではないんですか。

A　修道院がもし否定的に描かれているとすれば、修道院制度の根底にあるカトリックの信仰の形態、あるいは制度そのものに対する批判ということになるだろうね。修道院制度と同じ根のところから、ミサをやっている最中の高位聖職者が道徳的な方面へ話をずらしてゆく。そしてそこから、地震のせいでいわば不安と恐怖にとらわれている民衆の凶暴なパニックに陥りやすい集団的狂気が点火される。たちまち非寛容と化した人々の内なる残忍さが導き出されてくる。これは制度というもののある種の論理的必然として出てきている、と作者は見ているわけでありましょう。

つまり、スペインで異端審問による火あぶりを繰り広げたのと根のところでは同じ宗教的な非寛容さですね。非寛容とは、道徳的頽廃《たいはい》を叫ぶ聖職者のメンタリティの根本にある道徳的頽廃にほかならない。それがこの小説で炙《あぶ》り出されている。近代作家としてのクライストによる時代批判の意識がそうさせている。

司会　この小説を読んでいて、いろいろな連想がどなたもはたらいたと思うのですが、いかがでしょう。

D（六十代女性）　われわれ日本人がこれを読んだ場合ですね、連想されるのは関東大震災における朝鮮人虐殺といったような、ああいう事件に現われてくる日本人の酷薄さや残忍さの一面ですね……。

E（五十代女性）　確かに自然災害に伴って起きた事件ですが、あれをただたんにパニックとか集団心理の表われなどというふうには言えないと思いますね。日本の近代の民衆のなかに巣くう根深い朝鮮人差別が一挙に噴き出したものだと思う。

司会　物語からは離れるようですが、そういう記憶をこの小説を読んでわれわれが呼び起こされること自体はむしろ当然ですね。

F（六十代男性）　クライストはたぶんこれを書きながら……やはりフランス革命直後の民衆における……恐怖政治はロベスピエールとかダントンとか、そういう大立者が出て来るんですけど……民衆における、とくに農村部における虐殺だとか、残忍さの表われだとか、そういったものがクライストの頭のなかにあったんじゃなかろうか。

自然の天変地異をイメージして書いてはいるけれども、直接にはリスボンの大地震についてのカントの影響があるだろうとは思いますけど、やっぱりそれと同時に、ヨーロッパの歴史を変えてゆく大きいきっかけになったフランス革命後のさまざまな……政治としてのテロリズムじゃなくて、民衆の側に現われたいろいろな矛盾が、作者の念頭にあったのではないかとわたしなどは思う。

G（四十代女性）　関東大震災のことはよく分からないですけれど、焦土と化したなかで罹災《りさい》した人々が、お互いに一杯の水を分け合って飲んだとか、そういったことを聞いたことがあるんですよ。それから、おにぎりが一個しかないけれども、自分も空腹で自分の胃袋を満たすのにも足りないが、それを半分にして、同じように罹災した別の家族に分けてあげた、とか聞いたこともあります。

いっぽうでそういう麗《うるわ》しい互助の精神を発揮できる日本人が、他方で「井戸に朝鮮人が毒を撒いた。大挙してやって来る」と聞いただけで自警団を組織し、お前の顔は朝鮮人の顔だということで撲殺したわけでしょう。あのときその両面が現われたということを考えると、この物語で描かれているように、ふだんなら社会で軽視されている人間が、ローマ人の偉大さを見せたという一節なんかを見ると、考えさせられますね。

E　ローマ人の偉大さ、ですか。

司会　Aさん、ここはちょっと説明が必要でしょうか。

A　ローマ人の偉大さを見せたというのは、有名なラテン語を踏まえて言っているんですね。ローマン・シティズンここにありき、という意味の有名なラテン語があって、それが踏まえられている。

以前、この講座でカロッサの『ルーマニア日記』を読みましたね。そのカロッサが『美しき惑いの年』という小説を書いている。そのなかで、ドイツが戦争に負けて焦土と化したなかでも、ドイツ人はあたかもローマ市民のような、ここにローマ市民ありき、というような忍耐力を見せたと。そういうドイツ人をこそ自分は同胞として信じたい、というくだりがある。それと対応するラテン語を踏まえた一節なんですね。

三　道徳という仮面のもとで

H（六十代女性）　関東大震災のことをおっしゃいましたが、わたしはこのあいだのイラクの人質事件を思い出しました。その後の朝鮮に拉致された人たちの被害家族に対する日本国民の責め方というのが、ふつうの人が取り立ててなんでもないようなことでぱっと変化する。ある背景があると一気にそういうものが浮かびあがってくる。わたしは雑誌で記事を編集していて、そのことを思い出したんです。

日常自分が上司から理屈に合わないことを言われてもじっと我慢していたり、いろんなつらいことやなんかをふつうの人たちは捌け口がないまま耐えていたりするのに、なにかの事件をきっかけにして鬱憤《うっぷん》が外部に吹き出てくる怖さみたいなものが、いまの日本の社会のなかでだんだん蔓延《まんえん》してきている。やり場のない気持ちの捌け口が、在日朝鮮人とか、弱い立場の人たちに向けられている。いま、保守派の政治家たちが安易なかたちで大衆に人気があるというのも、政治家としてかれらが口走る無責任な言葉に飛びついてゆくからで、そういう傾向と、とつぜん激情を噴出させる傾向とが、よく似てきていると思うんです。

だから関東大震災のときの話なんかを読むと、そういうことがすごく残酷なかたちで起きてきて、人々がある瞬間から一変してしまうわけです。それが人間というものなんだと言われれば、そうなんでしょうけれども……。

でも、この物語に引きつけて言えば、キリスト教の信者でもユダヤ人をかくまっていると、それを執拗に洗い出して告発するという……いっぽうに敬虔な面がありながら、それとまるで異なるもう一つの酷薄な面があるんですね。そういう矛盾や現実がこの短編ではじつによく描けているなぁ、と読みながら感心しました。

A　十二世紀ごろに始まった異端審問に発する魔女裁判は、のちのちまでヨーロッパ世界に悪名をとどろかせたんですけれども、近代になってもアメリカで清教徒が作ったコロニーでやっぱり魔女裁判が行われたという事実がありますね。その魔女裁判にまつわる出来事は歴史上実際の事件として存在したものなので、それを題材にして劇作家のアーサー・ミラーが『クルーシブル』という――坩堝《るつぼ》という意味ですけど――戯曲を書いた。それをサルトルが翻案してフランスでいちど映画化されたことがあります。その後アメリカでもういっぺん映画になりましたね。ミラーが自分で脚本を校閲したので、脚本上は自分の劇と同じだと言っている。

そのときにミラーは、あれを書いたのは歴史上の事件としての魔女裁判を記録に残したかったからではなく、一九五〇年代初頭のアメリカで起きたマッカーシズムが念頭にあったからであると言っています。きのうまでは友人だった、あるいは今朝までは友人だった隣人が、「かれは共産主義者だ」といってそれを当局に通報する。さっきの話ではありませんが、ことこまかに何年何月何日の集会があったときに、かれはそこにいたとか、そういうことを詳しく当局に報告する。

アーサー・ミラーは、友人だった演出家のエリア・カザンとの関係で、自分自身がそれをまのあたりにした。カザンが映画界に残りたいがゆえに友人を売って、それで自分の才能を商業的に守ろうとした。カザンの才能は確かにすごいものがあるけれども、人間としては頽廃だとミラーは考えて、それで人間のそういう低劣な面と、切迫した状況に追い込まれながらも人間としての品位を守ろうとした高貴な面と、その両方を見つめながら『クルーシブル』というすぐれた戯曲を書いたんです。

近代以前の中世の終わりぐらいのヨーロッパで起こった魔女裁判でも同じことが……一つの村で、あそこの家の娘はあれは魔女だと誰かがささやきでもすると、魔女であることを立証するためのさまざまな証拠が積み上げられてゆく。それで火炙りになるまで、火炙りにするために人々が、あるいは村じゅうが、結束する……。

　最近の映画で、何人かごらんになった方もおられると思いますが、メル・ギブソン監督主演の『パッション』というキリストの受難を描いた映画でも同じことが描かれていますね。キリストは人心を挑発するというのでユダヤ人によって売られていくわけでしょう。そのときに裁く側の、たとえば大祭司カヤパだとか、それから総督のピラトとか、この人たちは知識人だからキリストは無実だと知っている。

　だけど、もし自分が権限を発揮して、かれに罪はない、死刑にはできない、と言えばこんどは自分が権威を失う。権力も失う。だから、キリストを有罪にして磔《はりつけ》にするかどうかはなんじら自身で決めよと言う。権威と権力を守るために大衆に対して日和見《ひよりみ》するわけです。お互いに責任の投げ渡しをしている。そういうことがメル・ギブソンの映画の背景にもある。あれは太古の話ではないわけです。

Ｅ　そうすると、どうなんだろう……。人間てそういうものなんだって言いたくなっちゃうね。歴史的に同じような状況がなんども繰り返されているわけですからねぇ。

Ｆ　でもね、そのつどどういう条件でそれが出てくるのか、やっぱり個別に見ないといけないんじゃないかな。

H　過去のことじゃなくて現実にいまもそうだし、将来もそういうことが起きる可能性があるから怖いわけですよね。

I（八十代女性）　かならず背景には権威とか権力というものがあるのよ。わたしが小さいころ、つまり戦争末期ですが、米軍の空襲に遭ったんです。そして、焼け出された人々同士でいろいろ食べ物を分け合ったりしていた。ところが焼け跡に天皇が来るんです。そうすると、そういう人たちが、申しわけありません、わたしたちのせいでこんなふうになって、なんて言っていたのを子どもごころに覚えていますね。

司会　『チリの地震』のなかでは、人間の醜さだけでなく、最後、子どもを引き取って、と書いてあります……。

A　このクライストの物語の最後のところで、まるで自分のじつの子どもでもあるかのようにさえ思って慈《いつく》しんだという部分ですね。顕著なのは、二人は神に感謝を捧げた、とかよくあるそういう書き方になっていないことです。ふつう、物語のこういう終わり方のときには、感謝の念を神に対して捧げたとか、というふうに……たとえばモーパッサンですらそういうふうに書く。

しかし、そこはやはりクライストですね。自覚的に常套を避けて書いている。人間が悲惨な目にいちどは遭わされたけれど、しかし手のなかに残ったものに対する感謝の念を失わない。だからあくまで人間性のなかの邪悪な面以外の向日性といいますか、光を見続けようとする。そういう人間性の肯定的な一面を最後に持って来ている。

I　非常に短時間だけれども、死んじゃった子どもとフィリップ？　は兄弟のように……。

A　分かち持つというか、分け合うというか……。

ある極端な状況のなかで、その状況を共有するというか、そういう精神というのはわたしはフランス革命の精神の根底をなすものの一つではないかと思うんです。

F　しかしものすごく対照的に、靴直しの親方が出てくるでしょう。これがやっぱり非常に否定的な意味で際立ったイメージを受けるんですけど……。

I　この親方が赤ん坊をひったくって柱に投げつけて殺すんだものね。

A　この男がかつてヨゼーフェのための仕事をしたことがあって、少なくとも彼女が履いている小さい靴と同じぐらい当人のことをよく知っている男だったとありますね。そこがことのほか怖いところですね。人間性の深淵というものを如実に見せつける。

G（六十代男性）　それと反対に、海軍将校は保身から日和見して「自分は知らない」とは言えなかったんですね。殺気立った群衆の前でもこう言える。それが非常に印象的でした。

F　靴直しの親方は、階層への不満もあったのかしら。労働者階級のルサンチマンとか。

A　親方ですからギルドの親方です。だから階層は労働者階級というふうにいちがいに言えない。近代の労働者階級とちがって中世や近世にかけてだったら親方はれっきとした社会的地位を持っている。

J（七十代女性）　不道徳とか、殺せという言葉……殺すという言葉しか頭にないのね。

A　ある種の道徳的正当さを盾に取って、自分の……地震直後のいま、人々は不幸のどん底にあるわけでしょう。それに対するやり場のない怒りとか、あるいはもちろん、日ごろの身分制度からくる抑圧された感情とか……つまりいま言われたルサンチマンとか、そのものとして率直に出すのではない。道徳という仮面を通じて出してくるでしょう。そのときに、それがまったく自分を振り返ることのない強烈な悪となって出てくる。それは原理主義的なものの持つ怖さでしょう。

たとえば、われわれはテロに報復するんだ、正義を行使するんだというときの、米大統領の演説に見られたようなあのいかがわしい、それこそ道徳的頽廃を、この小説のなかの人々にもわれわれは感じる。したがってもし人々が打って一丸となったら、こんどもやはりそれを支持するわけでしょう。アメリカのアフガン戦争もイラク戦争もまさにそんな感じがしますよね。いま、日本もそれに同調しつつある。それが、いましがたHさんがおっしゃったイラクで人質になった日本人に対する日本人の反応、それから北朝鮮で拉致されていた被害者たちに対する日本人の反応のなかにも出てきているという気がしますね。

そういう人々の、大衆のなかのルサンチマンをうまく、というか効果的に組織して、ある政治勢力が自分たちの勢力を伸ばす方向に組織してゆく。そういうものが非常に危険で怖い。ファシズムはそういうふうにして政治権力を急激に肥大させる技術であるわけですね。だからある種の合法手段、外面的には選挙というふうに合法性を持つ。そして内面的には人々もわれわれは正義を求めているんだというふうに自分たちを合理化する心理的な動きを作ってゆく。

クライストのこの物語では、それが政治権力としては描かれていない。けれども僧院とか修道院とか教会権力とかといった制度的なものが背景にあるのだと作者は暗示している。だとするとフランス革命が打ち倒そうとした一つの、中世以来のキリスト教権力に対するアンチテーゼというか、拒否の精神がクライストにもあったのではないかとやはり思いますね。

司会　クライストは歴史的なことはかなり勉強しているんでしょうか。

A　むろんそうだと思います。

G　十七世紀の半ばはスペインではまだ魔女裁判ですよね。魔女狩りというふうに考えてもいいんでしょうね。このイェロニモとヨゼーフェに対する弾圧ぶりを見ていると。

B　群集が凶暴性を発揮して敵を作り出して乱暴なことをしていくということについてうかがいたいんですが、イェロニモを殺した主体は誰なんでしょうか……集団ですか？

A　ここでは暴力の象徴としての棍棒がほとんど自立しちゃっているね。それはやっぱり群集を表わしているイメージでしょう。ヨーゼフェの場合も「第二の棍棒は他の側から飛んで来て、彼女はイェロニモの傍らに倒れて息絶えた」と書いてある。だから靴職人の親方もその群集の一人にすぎない。とくにこの親方だけが突出して悪というのではない。

J　わたし、ふと連想したんですが、映画の『イージーライダー』なんかは実話を映画にしているんですか。

A　さあ、実話ではないかもしれないけれども、南部で実際にもあり得たという話ではないですか。いまの棍棒の話で言えば、あれこそはもういっぽうの側から第二の銃口が突き出てぶっ放したというようなものでしょう。

でもあの映画をいま見直せば、なにかちょっとちがう気もする。やっぱり作っていると思うんですよ。人をぶち殺すときに、集団で……白人至上主義のクー・クラックス・クランだって、かならず顔を隠しますね。いくらこいつを殺そうと思っても、面と向かっていきなりというのは、よほどの狂信的な人間ならやるでしょうけれど……。

グロスマンの名著である『戦争における「人殺し」の心理学』という本を読むと、人間と人間はほんとうは面と向かって銃口を顔面や胸へ向けて撃つということはしないものだと書いてあります。みな上に向けて撃つ。じゃあなんであんなに何百万も人が死ぬかといったら、機関銃と空爆、それから大砲、長距離砲。つまり相手が見えないわけです。だからやれるんですね。機関銃もただ無差別に引き金を引いているだけなんですから。狙撃兵のように冷静に相手の頭部を狙って撃つことができるのは、技術もさることながら、その人が狙撃者の適性をもともと持った人間だからであって、練習したからといってみながみなかんたんに狙撃兵になれるわけではない。

『イージーライダー』なんかは作り手の側の考えがああいう映像になっているのであって、実際の南部でもリンチは顔を隠してやる。あるいは夜陰に乗じてやるでしょう。ここはやっぱり、群集というものを自分の個人性を隠す壁としてイメージしているんだと思うね。

四　わたしはわたし自身にとって謎である

G　いちばん最後のところ、教会の一角でこなごなに打ち砕かれて、人々が静まり返って立ち去っていく。そのあとに子どもが脳みそをどろんと垂らして、という凄惨な叙述がある。ここのところ、どうなんでしょう。

A　じつにむごたらしい場面ですね。これは反応はふたとおりに分かれるんじゃないでしょうか。いっぽうではさらに群集が逆上して次々と犠牲者を血祭りにあげる方向にゆくか、いずれにせよ、かれらにとってはカタルシスになっている。だが、その現場となった場所にはもう居たくないわけです。

この中間の反応というのは……ほら、ガルシア・マルケスの『予告された殺人の記録』もそうですね。被害者が刺されたあとは、群集の動きというのは静まり返っちゃって、ほとんど小説にも書かれていませんね。あれがホントの儀式殺人でしょう。

B　そういう群集にならないためには、いったいなにが必要なんでしょうか。クライストはどのように考えていたのでしょうか。

A　それはクライストではなく、われわれが自分で考えなくてはならない。クライスト自身もそこで苦しんだと思うんです。「わたしはわたし自身にとって謎だ」と。結局自分の奥底を覗いて、そういう獣性が自分にはほんとうにないかと言ったら、ないと断言することは出来ないわけでしょう。われわれの奥底には闇が潜んでいる。

I　惨劇が起きる前のエリーザベトの胸騒ぎ、というのがずっと気になっているんですけれども。

A　小説のテクニックの面から言えば非常に劇的な構成になっていると思いますね。たぶんシェイクスピアが作者の頭にあったかもしれない。『ジュリアス・シーザー』でシーザーが暗殺される前にやっぱりそういう予告・予感があるんです。それを押して出かけて行ってシーザーは殺される。クライストにはそれが念頭にあったと思うんです。

I　耳打ちをドン・フェルナンドーだけにする。

A　それにもかかわらず、耳打ちされたドン・フェルナンドーは毅然としていくでしょう。ここでこの人物は一瞬輝く。ところがドン・フェルナンドーの毅然たる態度が逆に惨劇を招く要素でもあって、そこがクライスト的なんですね。

いっぽうでは徳の発露なんだが、それが裏目に出て惨劇を招き、その結果自分の子どもまで殺されてしまう。海軍士官だってそうですよ。あとで自分の本意ではなかったとはいえいたらぬことであった、と言うと、あなたのせいではないとこう言っているわけだから、ああいうやり取りは古典劇的な人間関係のように思いますね。

J　全体のページ数は少ないのに簡潔な二、三行ですごいことを書いているんですね。

A　そのとおりです。その数行が読者に強烈なイメージとして記憶に残る。文庫でも数十ページしかない物語だけれども、われわれのイメージのなかでは、劇だったら三時間の劇を見たような、小説だったら三巻本の長編小説を読んだような、そういう凝縮力のすごさがクライストのすごさですね。そのうえ、現代にいたるまで現実への連想を次々とわれわれにうながし、それをわれわれの内部に次々と爆発させる。なにか予見的と言いたくなる。とても尋常な才能ではありませんね。

司会　それでは、きょうは時間がきました。現代にもつながる問題を幾重にもはらんだ名作を読んだという気がします。みなさん、どうもありがとうございました。（拍手）

クライスト略歴

ハインリッヒ・フォン・クライスト。一七七七年、オーデル河畔のフランクフルトに生まれる。ドイツの劇作家、小説家。プロシア軍人の家系で自身も軍職についたが九九年退官し、故郷の大学で哲学、物理、数学を学ぶ。しかし合理的認識の限界を説くカントの認識批判により学知の道に望みを絶ち、作家として立つ決心をする。

ヴィルヘルミーネという娘と親しくなり、やがて婚約するが、スイスで農園生活を送ろうという提案に婚約者が応じなかったため婚約を破棄。

一八〇二年、五幕悲劇『シュロッフェンシュタイン家』を書く。翌年ワイマールでゲーテ、シラーと知り合う。両文豪をしのぐ傑作をものしようとの野心に燃え、史劇『ローベルト・ギスカール』(〇八)に取りかかる。一部を発表したものの満足せず、原稿を焼却してしまう。その後病床に伏し、一時生死の境をさまよう。

〇八年、悲劇『ペンテジレーア』、一〇年、短編小説『チリの地震』『O侯爵夫人』、中編小説『ミヒャエル・コールハースの運命』、一一年、喜劇『こわれがめ』などの傑作を創作するも容易に認められず。

クライストは実生活でも創作においても情熱的な個性を発揮した。たとえば『ペンテジレーア』にはその情熱が次のように表現されている。女人国の女王ペンテジレーアは英雄アヒレスの隙をついて殺害するが、アヒレスが死に際して武装していなかったのは自分に対する愛のゆえだったことに気づく。そのため激しい悔恨に駆られて自殺するのである。さながら『オセロ』を思わせるモチーフである。

いっぽう〇九年、オーストリアとナポレオン軍が戦うことになったときは愛国心から自らも戦場におもむいた。だが、オーストリア軍の大敗に落胆させられ、ナポレオンへの憎悪はいやましにつのった。ひそかに暗殺を企てたとも言われるが果たさなかった。

ベルリンに戻って当時まだ珍しかった日刊一部売りの『ベルリン夕刊新聞』を発行するが、厳しい検閲のために挫折を余儀なくされる。

こうして文筆家としても世に容れられず、祖国の運命も傾くにおよび、生きる望みを失ったクライストは、一八一一年晩秋、人妻とともにヴァンゼー湖畔でピストル自殺を遂げる。享年三十四。（この稿は主として訳者相良守峯の筆に負う。）

参考文献

『チリの地震』は『O侯爵夫人他六篇』（岩波文庫）に収録されている。ほかに河出文庫でも同作品を読むことが出来る。

第2章

白昼に夢見る人間

――『チリの地震』私的再読

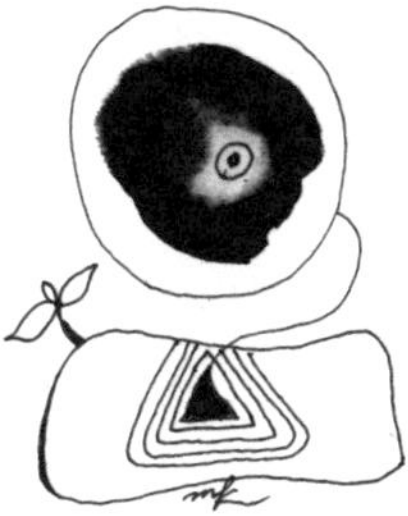

一　八千メートルの尾根を目ざして

『チリの地震』の冒頭で、主人公がいまこれから首をくくって死のうかというところから始まるでしょう。いっぽう恋人は、これから断頭台で首を斬られようとしている。まさにその寸前に大地震が起こる。町が壊滅状態になる。何千人も死ぬ。物語は虚構だが、チリの地震は実際に起こった出来事です。ハインリッヒ・フォン・クライストはなぜこういう小説を書いたのか。

お読みになったみなさんの実感として、なにかとんでもない山に登ったなという気がしたのではありませんか。過去に別の講座で扱ったこともあるが、ここでは少しちがう話をしようと思います。きわめて特異な情熱の持ち主だったクライストの人物像を考えてみたい。

クライストという作家は、カントの影響を受けた。それからルソー主義の影響も大きいものがあった。生まれたのは一七七七年ですが、クライストはこの二人の哲学者がほとんど同時代の人のように影響力を持っていた時代に生まれ合わせた。時代は少しゲーテともかぶっていますが、どうかぶっているのかが興味を引かれるところです。

ゲーテというとてつもなく偉大な、シェイクスピア以来と言われる文豪は戯曲も書く、詩も書く、小説も書く。その他その発言、政治的な立場、ゲーテはまるで同時代のもういっぽうの天才であるナポレオンに匹敵するかのようだ。ナポレオンが歴史に一大画期をもたらしたとすると、文学創造においてはシェイクスピア以来一大画期をもたらしたのはゲーテだと言われるが、それは誇張ではない。

したがって、感受性豊かで自身の才能を自覚しているクライストのような青年は、目標として思想的にはカント、ルソーを、文学的にはゲーテを仰いで目標にするのも理の当然だった。そして政治的・軍事的にはナポレオンですね。

才能ある感受性豊かな青年が、世のなかに自分の思想なり人生観なり宇宙観なりを表明しようと思うときに、先行する偉大な先人や先達からの影響を受けなかったはずはない。巨大な人々を山岳にたとえれば、七千メートルないし八千メートル級の高峰であり、しかもそれらがひとつらなりの山脈をなしている。その山脈に自らがぐるりと取り囲まれているわけだ。そのなかで自分が二、三千メートルくらいまでの山を登ってみたからといって、満足できるはずがない。

クライストにしても、自分は天才であるという意識が若いときからあった。こういう自負心の強い青年が四方を見わたして、七、八千メートル級の高い山をどうやって乗り越えようかと考えるとする。尋常な人間の神経や人生観や生き方に甘んじられるはずがありませんね。

しかしその自分が、容易にゲーテを越えられない、容易にカントの哲学に対してアンチテーゼを出せない、容易にルソーの偉大な仕事を飛び越えることができない。そう考えたり感じたりしたらどうするだろう。クライストは激しい気性の持ち主だった。ナポレオンを非常に憎んだ。ヨーロッパのほとんどの青年たちがナポレオン主義者になっている。文学ではたとえば代表的な作家はスタンダールですね。スタンダールの文学は、あれはナポレオン主義と言ってもいいものです。『赤と黒』の主人公ジュリアン・ソレルはナポレオン主義者です。しかも主人公には天才の自覚がある。ところが不幸にして貧乏な家に生まれてしまった。

貧乏な家に生まれながら、才能ある青少年にとって近道としての出世街道が一つだけあった。それは僧職につくことだった。つまり司祭になることだった。僧職を目ざせば奨学金がもらえる。それでジュリアン・ソレルは僧職につくための勉強を勧められる。ところが本人にしてみれば坊さんなんかになりたくない。なんといっても、ナポレオンの赫々《かくかく》たる姿が目に浮かんで離れない。しかも同国人です。それで良家の、貴族の家庭に雇われて家庭教師になる。ところがその家の夫人と不倫関係に陥る。

不倫を犯すまでのいきさつを高校時代に読んで、じつにはらはらどきどきしたものでした。まるで自分自身を小説で読んでいるような気がした。といっても当時は別に、人の奥さんに手を出したというのではない。はらはらどきどきしたというのは主人公の心理に対してです。ジュリアン・ソレルの心理と、たとえばドストエフスキーの『罪と罰』の主人公であるラスコーリニコフの心理とは非常によく似ているところがある。だいいちに貧乏というのが似ている。それから自分の才能の自覚が強烈であることも、喜びに近いような、そういう自信を持っているという点でも、両者は似ている。

なかんずく、ナポレオンは何万人死なせても英雄だが、おれはこれから一人、高利貸のばあさんを殺そうと思っている、それを実行してナポレオンになってやるぞ、とそう思っている青年だ。だから、ドストエフスキーが創造した主人公と、スタンダールが創造した主人公と、高校時代のわたしにとっては、ほとんど瓜二つのように思われてならなかった。

東北の山に囲まれた盆地の田舎町でいじめに遭いながら育ったわたしは、いつか見ておれと思った。ところが現実というのはむごいものだ。主人公らとちがって自分には才能があまりにも不足しすぎていた。

話はちがうが、今朝起きてニュースを見てぎょっとするような事件を知った。今朝、東大受験生を刺した少年がいるという。車に乗っていて運転手にそのニュースを聞いた。東大で、今朝、なにかあったのですか？　するとこういう返事だった。いやね、十七歳の少年が一人で二、三人、人を刺したみたいですよ。

十七歳。セヴンティーンか。十七歳は危険な年齢なんです。わたし自身にも自覚があるんだ。わたしの年代の者は、セヴンティーンというとすぐに脳裡に思い浮かぶ事件がいくつかある。一九六〇年、まだ中学生のころ、十七歳どころかまだローティーン、十三歳になったかならないかのころだったが、政治的なテロ事件が起きた。いまはないが、社会党という政治組織があった。その社会党の委員長が登壇して演説をおこなっていたところ、突然壇上に躍り出た少年のかまえる短刀で委員長は刺殺された。少年は十七歳だった。いまでも忘れないが山口二矢《おとや》という名前なんだ。

山口少年は大日本愛国党に出入りしていたが、事件を起こす直前に党籍を離れた。自分の所属している党に迷惑が及ばないようにしたわけだ。周到に考えたうえで、短刀で人を突く訓練をなんどもやって、万が一にもまちがえないように準備をしてから出かけて行って犯行に及び、演説中の委員長を刺した。つまり少年は確信犯だったわけです。

中学時代の社会の授業のとき、教室に現われた担当の先生が自分が山口二矢になりきったかのように、短刀を突き刺すさまを生徒の前で実演して見せた。その姿がありありと印象に残っている。その二矢少年は、鑑別所に収監中、つまりまだ裁判を受ける前だが、監房で自殺してしまった。天井の電球を覆っている金具にシーツを割いて括り付けると輪を作り、そこへ首を突っ込んで縊死した。徹頭徹尾確信犯です。

よけいなことを言っているようだが、そういう連想が瞬時に起こって、『チリの地震』を書いたハインリッヒ・フォン・クライストについても、なにかそういうイメージが、あるいは連想が呼び覚まされるんです。ナポレオンを本気で暗殺するつもりで計画を立てていたようだと述べている本もある。そこまでナポレオンを憎んだというのも尋常ではないが、といって個人的な憎悪から殺意をいだいたのではなかった。

二　悪因果の読書遍歴

クライストはこの小説をなぜ書いたのだろう。わたしはもう七十も半ばですが、ずっと世代の若いあなた方が読んでどんなふうにお感じになるのか、聞いてみたい。

Aくんはきょう初めての参加だが、年齢からいうと四十代半ばかな。いわば人生も半ばに近いころだ。いまのAくんの年齢にわたしが達したときに、自分は生まれ変わったとずっと思っている。たまたま一年間ヨーロッパをほっつき歩いている最中だった。つまり四十五歳でわたしの第二の人生が始まったと思っている。

それまでの四十五年間は、いうなれば青二才だった。四十五で初めて自分がなにをやるべきなのかを悟ったと言ってもいい。ところが、最前から言うように肝心の才能らしい才能が自分にはてんでない。これには改めて失望しないわけにいかなかった。

しかし四十五歳という年齢は、才能がないからというような言いわけがもはやできない歳なんです。才能がないなりにやるべきことがあるだろう。おまえは職場では大学の教授ということになっていて、それまでの期間に学生をすでに何千人も教えてきているじゃないか。そのおまえが、おれには才能がないと自分に向かってぬけぬけと言うなんて、それこそ恥ずかしいことじゃないか。しかし十七歳はちがう。

今朝の事件を起こした少年についてはまだ分かりませんが、ちょっとネットで事件のニュースを調べてみた。すると詳しく出ているわけではないが、勉強が行き詰まってしまったとある。まずそれがわたしには、ああ、この少年は勉強に行き詰まって、精神上もすっかり追い詰められてしまったのだなと直感された。精神に全然余裕というものがなくなってしまったのです。もはや右を見ても左を見ても、こっちに第三の道があるというふうに考えられない。精神が完全に閉塞《へいそく》してしまった。

かつての山口二矢少年の場合は大日本愛国党があった。大日本愛国党の目から見ると当時の社会党は日本の敵なんだ。だから委員長を殺さなくてはならない。およそ単純な、しかし極端なまでに目先の目的意識に凝り固まってしまったわけだ。人一人を自分一人で殺そうと決意して実行に及んだんです。これはやはり尋常なことではない。ことの理非をうんぬんする前に、そう言わないわけにはいかない。

ところが、今朝の凶行を演じたこの少年は、だれでもよかったと言っている。対象は無差別だったのだろう。という意味では、これまたついこの前の、いまだに報道されているが、用意周到に準備して火をつけて大阪・北新地のクリニックの院長ともども何人も殺した男のことが思い合わされる。あの男はすでにいい年だった。六十なんぼかだったでしょう。とうに還暦を過ぎているわけです。どちらかと言えばわたしと近い年齢と言ってもいいくらいなのだ。それなのにああいう事件を起こしている。誰一人、憎いとか、憎悪の対象になっていない。ただ気になる言葉は、死ぬ前くらい人の注目を浴びたかったと言っていることですね。

わたしに言わせると、六十過ぎてもそういう願望からああいう殺意を抱いて、それを周到に準備して、メモまでとって段取りをつけてから実行するというその心理的、精神的な次元のいきさつというものは、セヴンティーンとあまり変わらない。どこで、このおっちゃんは成長が停滞してしまったのか。クリニックには百何十回も通っていたそうですね。つまり精神的に病的問題を抱えていたわけだ。

いっぽうセヴンティーンは精神的に問題があっても、それが病気なのかどうなのかにわかには判断がつけられない年齢です。しかし六十にもなれば、クリニックに百何十回も通わなくちゃならないというのは、通ってもどうにもならないのではないかと疑わせる。主治医がどなにいい先生であっても、問題はもはやクリニックで解決できることではないからだ。

それだけ自分のかかえてしまった問題が、六十代に達した人間の心理と精神の奥深くにまで病原菌のようにはいり込んでいる。目に見えない癌のように食い込み、内側にはびこっている。

こいつと向き合わないかぎり乗り越えられない。いや、乗り越えられないと思うからクリニックや精神分析に通うわけだろう。

戦場帰りの退役兵がかかえるPTSDもそうだ。戦場での経験によるショックと、そのコンプレックスが強烈だから、どうあがいても社会生活に順応できない。そのため発作的に自分の家族に襲いかかったりする。家庭はむろん破綻する。自分の暴力性にわれながら恐怖を抱くほどだ。やがて行方をくらますか、あるいは耐えきれなくなって自殺する。

イラク戦争帰りのアメリカの元州兵も多くの若者がそうやって命を絶っている。いや、それどころか、ヴェトナム戦争帰りの帰還兵にいたっては何千人にのぼるか分からない。ひょっとすると何万人かも分からない。実数もはっきりとは分からないくらいです。いまだにアメリカ現代社会の問題なのです。ところがあれからでもしょっちゅうアメリカは戦争をやっている。ですからPTSDの帰還兵がごまんとアメリカ社会のなかに生きていることになる。

これらの人々の内面の鬱屈はいったいどこに向かうのか。鬱屈したまま生きていることはできない。とするなら自殺しかない。あるいは逆に、鬱屈した感情が社会のマイノリティに向けられる。黒人に向けられる。ヒスパニックや、あるいはユダヤ系、アジア系の人々に向けられる。その意味ではむかしからアメリカは病巣だらけの国であると言われる。

では、ひるがえって日本はどうかと考えてみると、今朝のセヴンティーンの事件が一例だが、とんでもない世のなかになったものだなんて、いまさら言えません。自分のことを言えば、かつて山口二矢事件で少年時代にぎょっとさせられたままです。あのとき以来なにかが、わたしのなかの時間の一部が凍結しているような気がする。自分がセヴンティーンを越えたとき、ああ、越えたなと思ったわけではない。だが、大学にはいってから別の病気にかかった。いまにして思えば麻疹《はしか》のようなものだと言って言えないこともない。世間的にはそうも見えるだろう。だが実のところは分からない。それは、六十なんぼになってから、自分も死ぬ覚悟で灯油をまいて、火をつけて多くの人を巻き添えにしたあの男の心理と同じかあるいは似たような心理だと言ってもかならずしも見当外れではないかもしれない。

その心理は鬱屈しているが、たぶんこんなふうに心の奥底で考えている。この世に生まれてきた以上は自分の足跡を残したい、とそう思っている。わたしにしても当時いわゆる文学青年であったが、古今の傑作を読めば読むほどそれを書いた作者の天才にはとても及びがたいと思い知らされるばかりだった。ゲーテ、トルストイ、ドストエフスキー、バルザック、スタンダールは言うに及ばず、日本の作家でも漱石、鷗外はもとより、龍之介にも、谷崎にも、太宰にもとうていかなわない。

かれらの全集を買い込んで片っ端から読みふけっては劣等感にさいなまれる日々だった。読めば読むほど、おれはなにをやっているんだ？　おれはいったいなにができる？　凡庸な自分に愛想が尽きてしまうばかりだった。そのくせ読むのがやめられないんです。まるで悪因果のようだった。

思い詰めているうちに大学に出るのさえいやになってしまった。つまり不登校になってしまった。昼夜逆転して、昼間は布団をかぶって下宿で寝ている。夜になると起き出して、小説ばっかり読みふける。そういう日々が続きました。

多かれ少なかれ当時のわたし自身がそんなふうで、自分のなかの行き場のない鬱屈を持てあましていたのです。とうとうそれをへたくそな小説に書いた。大学の三年生のときです。クラスの連中と出している雑誌に小説を書いたのです。小説とも言えないような代物だったが、とにかく書いたことで胸のつかえがある程度は取れたような気がした。のちに考えて、それはまんざら意味のないことでもなかったのです。

三　噴煙高度一万メートル

話をクライストに戻すと、天才クライストも心理の奥底では似たような青年時代を送ったのではあるまいかと思う。ただし、クライストの送った青年時代の時代状況は冒頭に言ったように、とてつもない巨人たちが四方にいる。そういうなかで人一倍、才能の自覚、それに匹敵するだけの力量を実際持っていた青年が、若いときからとてつもない野心を持ったとしても、それ自体は不思議ではない。

その野心はいっぽうでは文学、芸術だった。しかし他方では、ドイツに対する強烈な愛国主義の感情から、ナポレオンなんか生かしておけない。ドイツばかりか、ヨーロッパの癌だ。癌という言葉ではなかったろうが、要するにそう思っていた。これが十七歳とか、二十二、三歳とか、青年期の、思春期後期、あるいは青年期の前期、過渡期の心理的な緊張の産物だったら、そこをなんとか三十になるまえに乗り越えられるところだろう。

ところがクライストの場合は、乗り越えるどころか挫折感のほうがはるかに深いのだった。だからかれは自殺した。自殺したとき年齢はまだ三十代前半ですよ。キリストが磔《はりつけ》になって死んだのと、年齢がだいたい似ている。平均寿命を無視していうと、三十三、四も危険な年齢なんです。

また私事で恐縮だが自分に即して言うと、わたしは二十八、九のときに三十歳を目前にしてふたたび懊悩《おうのう》の時期をくぐらなくてはならなくなった。おれはこのまま三十代に突入し、中年の域にはいろうとしている。だが、二十代にいったいなにをやっていたのか？　振り返ってみて自分で自分の貧しい青春に、貧しいなりの決算報告書を出さねばならない。そう考えた。そのときはもう自分が天才じゃないということについてはあきらめがついていました。たいして才能がないんだからあとは地道な努力しかない。それでそのつもりで本を読み、ものを考えようとしていた。

自分で言うのもおこがましいが、自分なりの地道な勉強の結果として比較的長い論文を二つほど書いた。いまにいたるもこれが自分の代表作と思う。それを書いてから三十歳を迎えたから、三十以降のわたしが、四十歳のわたしも、五十歳のわたしも、いまになっても、ものが書けないと二十八、九で書いたときのE・M・フォースター論を収めた『洞窟の反響』と、それから『根源への旅』に収めたニーチェ論と、この二つをしょっちゅう読み返すんです。少なくとも繰り返し拾い読みをするのがならいになっている。

そうすると、二十八歳の立野はこのときこういうふうに考えていた、ここでこういうふうに書こうとしていた、という過去のそのときの自分からいわば現在の自分が照射される。というより叱咤激励されるわけです。

七十を過ぎたというおまえは、ではもう老境なのか？　客観的にはそうなんです。後期高齢者と言われますからね。認知症検査を受けなさいと言われる。それが世間の尺度になっている。しかし、自分自身の尺度はそれとはちがったものだ。

自分自身では後期高齢者などと思っていない。からだはもちろんガタがきて、基礎疾患も何種類かあるが、それはそれ、生理的なレベルの話でしょう。おれの心理、精神、感覚、あるいは想像力はどうか。その点ではこれからがまだ自分にとっての勝負だ、と身のほど知らずにも

考えている。老人ボケして妄想に陥っているせいじゃないよ。いや、どうかなぁ。実際のところ妄想かも分からないが。（笑い）

とにかくわたしは、クライストの小説を読むと、初めて読んだわけでもないのに、血がからだのなかで沸騰するような気がするんだ。原稿用紙にしてせいぜいのところ五、六十枚かな。それなのに長編小説二冊分くらいの内容がこのなかにぶち込まれている。それだけでもすごいと言わざるを得ない。火山で言ったら、高さ千二、三百メートルというところだろうが、それが噴火したら、噴煙が上空高く上がってゆき、高度一万メートルまで届いてしまうようなものだ。あるいは山肌を伝って溶岩が流れ出し、灰も大量に降りそそいで、ふもとまですっかり覆いつくしてしまう。ポンペイではないが町が三つも四つも埋もれてしまう。これはそれぐらいの迫力を持った小説ですよ。まったく、なんなんだこれは、と言いたくなりますね。

四　ウェルテル病

ふつう、常識人はこういう発想や展開を考えもしないでしょう。作家が挑戦してみたとする。人さまを驚かしてやろうと思ったとする。でも書けない。もし戯曲化したとする。舞台に乗せてごらんなさい。役者もせりふも行動も、目まぐるしいから展開についていかれない。目を回して早送りのようだと思うだろう。これが小説だからいいんです。

繰り返しますが、冒頭で主人公がいまこれから首をくくって死のうかというところから始まるでしょう。いっぽう、恋人はといえば、これから断頭台で首を斬られようとしている。まさにその寸前に大地震が起こる。町が壊滅状態になる。何千人も死ぬ。これをそんじょそこらのジャリタレみたいな作家が書いたらどうだろう。嘘っぽくて読むに耐えないにちがいない。

ところでゲーテは、クライストがきらいだったんです。研究者たちが言っているが、ゲーテは、自分をライバルと目している若造が、自分の若き日にあの『ウェルテル』を書いたときと同じ面がまえをしているのが気に食わなかった。ゲーテは『ウェルテル』を書いてウェルテルを乗り越えた。しかし晩年、エッカーマンに対して談話で語っているが、いまだにウェルテルは自分のなかに生きている、だからあれを最後まで読み返すことができなかった、途中で止めたと言っている。

してみればゲーテは、ウェルテルを乗り越えたのではなかった。代わりに胸のなかの檻の内側に、頑丈な鉄格子のはまった檻のなかに、猛獣を飼うような具合にそれを飼うという術を学んだ。それが偉大な常識人ゲーテの長生きした秘訣だ。そして『ファウスト』という巨大な作品を生み出すことをゲーテに可能にさせたのは、いっぽうではいま言ったように『ウェルテル』を胸のなかに持ち続けたからだとも言える。「ウェルテル病」とゲーテ自身はそれを呼んでいる。ナポレオンはこの物語を愛読して二度も三度も読んだ。両者が対面したとき、ナポレオンはゲーテに向かって言った。偉大なるゲーテよ、ぜひ、あなたにお会いして訊きたいと思っていたことがあります。あなたはなぜウェルテルを自殺させてしまったのですか。わたしには分からない、と。

確かにナポレオンは自殺しなかった。とはいえ、ナポレオンにもウェルテル病の危機があった。危機があったが、ナポレオンがナポレオンになったのは、自殺しなかったからだ。自殺の危機を感じたかもしれないナポレオンが、もし初めからそんな内面的な危機を感じない人だったとしたら、あのナポレオンにはなっていなかったかもしれないのだ。

いっぽう、この小説の作者ハインリッヒ・フォン・クライストの想像力と感覚、文学的な野心。それはどういうものだったか。ひと言でいうのはむずかしい。なんの予備知識もなく読めと言われて読んで、なんだこれは、とまずふつうの読者は思うだろう。たとえば、高校生や大学生に課題図書としてわたしして、来週この物語について語り合おう、読んできてほしいと言ったとする。十人か十五人のゼミで発言してもらうとすると、まず、これまでのわたしの経験から言うと、匹敵するのは『マテオ・ファルコネ』を読んだときと同じだろうと思う。

わたしは授業、講義、その他でなんどか『マテオ・ファルコネ』を扱ったが、まずだいたいの学生が憤激するんだね。とんでもない父親だ、自分の息子が約束を破ったからといって、しかも相手は罪人だというのに、この父親は子どもを連れて家から離れたところへ行って、祈りを唱えろと言ったあとで銃で撃ち殺してしまう。なんというとんでもない父親だろう。息子はまだ幼い少年なんだから、諄々《じゅんじゅん》と説明すれば済むことじゃないか、とレポートに書いてくる。

だが小説はフィクションであって現実そのものではない。どんなリアリズムであってもリアリティそのものではない。にもかかわらずリアリティを感じさせるというのが作者の力量です。だから作者は、ごく日常の当たり前のことを当たり前のように書いて読者をうならせるか、尋常ならざるエキセントリックな、アブノーマルなことを書いて、とんでもないことが書いてあるが、恐怖あるいは驚愕あるいは戦慄、そういう気持ちを読者のなかに掻き立てるか、そのどっちかだ。

日常、なんでもないことのほうに小説として書くことがあると思い、それを実行して、しかも文学史に名前を残している作家がいることは確かです。日本で言えば志賀直哉もその一人だろう。庄野潤三もそうだろう。日常茶飯事のようなことが書いてある。当たり前のことを当たり前のように人々は見るが、当たり前のなかに当たり前でないものを発見して、簡潔無比な、ほとんどぶっきらぼうとも感じられかねない日本語でそれを書く。するとそこに人間の実相が現われる。志賀直哉の小説がそうだった。それに漱石は驚いた。龍之介も驚いた。とてもあんなふうには書けないと二人はたがいに言った。

だが漱石だって、初期のころは非常にドラマチックな、ありうべからざることを考えたわけです。『夢十夜』にしてもそうですね。でも漱石の偉大さは、夢ではなく日常生活の人間関係のなかに、深淵が広がっている、そこを直視して追求しようとしたところにある。三大傑作と言われているのは、みな日常生活に開いた穴である。日常生活の人間関係のなかに開いた穴の一つが、不倫という問題だ。といっても別に珍しいテーマではない。

トルストイの『アンナ・カレーニナ』、フロベールの『ボヴァリー夫人』、スタンダールの『赤と黒』、みな不倫の問題を扱っている。けっして珍しいテーマではない。あれこそは日常生活にいわば穴が開くことなんです。

この小説では、人物の類型はじつにはっきりしている。類型といったが、エリーザベトだって第三の類型。なにか胸騒ぎがする。だが彼女の兄のフェルナンドーは一笑に付し、妹の言葉に耳を貸さずに出かけてしまう。そのことによってあの惨劇が起こる。

五　わがウェルテル病とのたたかい

以前に、本郷の文学講座でこれを取り上げたことがあった。そのとき議論の中心になったのは、群集心理の恐ろしさということだった。誰か扇動する人物がいて、それにあっという間に人々が感染して、あっという間に人々がモッブになる。日常的にわれわれが世界で見ている光景と同じだ。（第一章参照）

最初はおとなしいデモから始まる。ところが機動隊が出る。機動隊ともみ合っているうちに誰かが火炎瓶を投げる。機動隊に打ち倒される。それでますます怒り狂って火が付く。そのうち激昂のあまりまったく関係のない店に押し入って略奪までやってしまう。双方に死者が出る。軍隊が出動する。そういうことが現在でも、世界のあちこちで起こっているでしょう。

朝からワイドショーだの、昼過ぎのバラエティショーなどを見ていると、毎度毎度、コメンテーターたちはそんなレベルで話をしている。大衆はそれをずうっと見ている。コロナ禍のなかで見ている。あんなふうにテレビを見ているから頭が馬鹿になる。コロナによって閉塞状況に置かれながら、われわれがああいうものを漫然と見て、まだ日本はいいほうじゃないか、などとのん気に思っていることがコロナ症候群そのものなのに。

だから、ときどきクライストの小説のようなすごい物語を読む必要がある。もっともこれを読んでも、すごい小説だったねぐらいで終わるのだったら、読む意味はあんまりないかもしれない。ここに描かれている凄まじい物語は、いったいなにが言いたくて作者は書いたのか。そこを考えなくてはならない。

物語のいっぽうでは大地震だ。町ごと崩壊してしまう。何万人も死ぬ。そこには差別もなにもない。聖職者だろうが、教会だろうが、大聖堂だろうが、いたいけな赤ん坊だろうが、善人だろうが、悪人だろうが、いっさい差別はない。だが他方では、これから死刑になるという人々がこの騒動のなかで生き延びる。自殺しかかった者も、もし地震が到来するのが遅かったら首をくるところだった。ほんの弾みで助かっている。首を斬られることになっていた女性にしてもそうです。地震騒ぎのおかげで二人は再会できる。

こんなこと現実にあるはずがない。こんな偶然が起こりうるとは思われない。だが、この物語を読んで、こんな偶然が現実にあってたまるか、ばかばかしいから読むのをやめた、という人は百人中いったい何人いるか。ほとんどいないでしょう。いったん読み始めたら引き込まれてしまう。読み始めたらとにかく最後まで読まずにはいられない。それは恐ろしいほどの語りの力が作者にあるからです。

ゲーテも卓越した語りの力を持つ天才だということは、『ウェルテル』を読んだだけでも分かりますね。ぐいぐい読者は引き込まれてしまう。同様に、クライストも語りの力に、語りの才能に恵まれていた。しかもそれを本人は自覚していた。そして戯曲でも同じだった。ゲーテが創造し、その筋運びを作り出す能力は並外れたものです。しかし、それに匹敵する能力が自分にはあり、卓越した才能が自分にあるとクライストは自信を持っていた。だから飛ぶ鳥であるゲーテを撃ち落とそうとクライストは狙っていただろう。

またいっぽうでは、自分は政治家でもないし軍人でもないが、人後に落ちない愛国主義者であるという自負があった。ドイツはもとより、ヨーロッパに害をなすものはあのナポレオンであるという思い込みからかなり本気で暗殺を企てた。害をなすというのはクライストの愛国主義的な主観です。善悪で暗殺しようと思っているんじゃない。自分は正義を追求しているんだがあいつは邪悪な男だ、だから殺す、という道徳的な善悪で殺すんじゃない。強烈なナショナリズムから、政治テロリストになろうと思った。

このファナティックなまでの国粋主義の情熱と、それからゲーテを文学上、暗殺しようと思った野心ですね。戯曲において、小説において。それでゲーテ自身も恐れをなした。不穏なものを感じ取って賢明にも身辺から遠ざけた。ゲーテは、ほんとうに自分を乗り越えるかもしれない若き天才が出てくると、身辺から遠ざけてしまう。バイロンなんかに対してはそうでもないが、バイロンはイギリス人だから例外だったのです。現にゲーテは、自分を乗り越えるかもしれない才能を持ったもう一人の若者が自分に庇護を求めてやってきたとき、これを親友のシラーに任せて冷たくあしらった。その若き詩人は自殺こそしなかったが、精神的には自殺も同様の生涯を送った。寿命は確か七十過ぎくらいまで生きたはずです。だが、実際には三十半ばで人生を終わっている。わたしが言うのは詩人ヘルダーリンのことです。

ヘルダーリンを乗り越えた近代の詩人はいない。だが、ヘルダーリンはいったいなにをやったので偉大な詩人と言われるのか。なにゆえハイデッガーはニーチェとヘルダーリンに生涯こだわったのか。これも重要なテーマだが話せばながくなりそうだから割愛しよう。

クライストのときにはまだニーチェは生まれていませんでした。そのかわりすでにカントがいた。カントが言ったことは、人間の理性を極限まで研ぎ澄ましても依然として認識不能な問題がこの宇宙には存在するということだった。これをカントが論証した。つまり不可知論ですね。人間にはついに知りうべからざることがらが、この世にも宇宙にも存在するということを精密に論証した。それゆえクライストの時代にはカントが絶対だったんです。

いっぽうからすればルソーが絶対だった。カントは官憲から命を狙われなかったが、ルソーの場合は追われて追われて、亡命生活のあげくとうとうスイスで一命を終わった。ルソーが切りひらいた次元はカントが扱った次元とは全然ちがうものだった。つまり人間は、なんでこの宇宙のなかに生きている価値があるのだ、と考えたとき、救いの手を差し伸べてくれるように思えたのがルソーだった。

カントとルソーのはざまで、しかしこの二人を乗り越える力量は自分にはない。文学的には、ゲーテを乗り越えるぞという目標を立てた。それからナポレオンについては、おれがこの手で殺してやると思っていた。こういう状態に自分の精神状態を置いている人間とはいったいどんな人間だろうか。

わたしはそういう人を目の当たりに見たことはないが、想像することはできる。歴史上にそういう存在を洗い出して、フィクションの人物ではなく、歴史上に実在した人物のなかからそういう人間と目星をつけて、その人についての伝記や研究書を学生時代から読んだ。それが自分にとってもある意味で切実に必要なことだったんだ。さっき冒頭付近で言ったように、へぼ小説を一作だけ書いた、六十歳のおっちゃんと同じだね。平凡な人生を余儀なくされている、平凡な頭脳しか持っていない自分が、もしこの世に生まれてきたことの証《あかし》を立てるとしたら、どうすればいいだろう。その時分わたしはニーチェを読んでいた。ニーチェの『ツァラトゥストラ』にこう書いてあった。

「あなたにも一つ、偉大になりうる道が残されている。それは誰もなし得なかったような犯罪を犯すことである。」

クライストはナポレオンを倒そう、たった一人で、と思った。連戦連勝のナポレオンを倒すことは、何万の軍隊を一人で倒すのと同じだ。ナポレオン没落前なんですから。いっぽうではヒットラーがそういう野心をいだいた。第一次大戦ではせいぜい伍長。絵描きをこころざしたがうまくいかなかった。失敗して、それで戦争に行った。そして下士官となる。下士官だがこの男には野心があった。芸術では果たせなかった野心を政治の世界でやろうと思った。初期のころはクーデター未遂で逮捕されて刑務所に入れられていますね。

ところが、この刑務所は監視がかなり緩やかだったらしい。執筆の自由があったんです。紙の差し入れ、ペンの差し入れ、それが出来た。懲役ではないから時間はまるまる二十四時間ある。もう、書きに書いた。それが『わが闘争』です。あんな分厚い本を書くことが出来た。あれはわたしも読み始めたものの途中でやめた。学生時代のことです。だがあれこそは『ツァラトゥストラ』の通俗版だったのだ。

わたしはのちに恩師と仰ぐある教授からこう言われたんだ。まずこう質問した。先生、ニーチェはなにをさきに読んだらいいでしょうか、『ツァラトゥストラ』を購入したんですが、と言った。すると、『ツァラトゥストラ』を読むのはしばらく待てと言われた。さきに読むべきは、ニーチェがまだ頭脳が明晰で、論証力が持続していたときに書いた『善悪の彼岸』と『道徳の系譜』だ、この二冊をまず読みなさい、とこう言われた。

ところが不肖の弟子であるわたしはそれを守らなかった。『ツァラトゥストラ』を読み始めたらおもしろくてどうしても途中でやめられなかった。もう取り憑かれたようになって読み続けましたね。なかんずく、「あなたにも偉大さへの道が残されている。何人も実行したことのない犯罪を犯すことである」というくだりには正直言ってしびれましたね。

それに刺激を受けて、ニーチェ流のツァラトゥストラに取り憑かれた青年を主人公にして小説を書いたんです。最前も言ったへぼ小説ですが、そこに自分自身を主人公に投影したことは申すまでもありません。

この主人公は満員電車を転覆させて、できるだけ大多数の乗客を殺そうと企てる。ところが実際に転覆事故が起きたら奇跡が起こった。乗客のなかで死者は一人だけだった。その一人が主人公だったんです。

なぜこんなことが起こったのか、なぜ一人だけが犠牲になって、ほかの人はすべて助かったのか。誰も解けない。そこをうまく書かなくてはならないのに書けなかった。だから技術的にはいいかげんな小説なんだよ。小説としてはへぼのへぼと言わざるを得ない。

しかし、作者自身にとってはあながち無意味な代物にすぎなかったわけではない。おこがましいと思われるだろうが、ゲーテが『ウェルテル』を書いて危機を乗り越えたのといわば同じことだったと言いたい。わたしはへぼ小説を書いたにすぎなかったが、そのへぼ小説のおかげでとにかく自分自身の心理的な危機状態を乗り越えられるきっかけを得たのだったと思っています。そして二十代の半ばになって、凡人であるおれに出来ることは、ひたすらコツコツやることだとようやく思いが定められた。

だからこそ、フォースターの『インドへの道』を十何回も読んだし、他方ではニーチェの『悲劇の誕生』を繰り返し十何回も読んだ。というのは、二十代を終わろうとするころ、両書について書いてから三十代に突入するということを自分に課題として要求したからです。それをまがりなりにも果たした。それでこうして生き延びているというとみなさんに笑われそうだが。

とにかく、そのわたしから見ると、昨年暮れからお茶の間を騒がしているあの事件はなにをやっているんだか、いい年こいて、と切って捨てることも出来にくいものがあります。セヴンティーンの犯行にしても、いまどきの若い者はほんとうにおっかない、などと他人事のように簡単に言うのも逡巡を禁じ得ない。それどころか、自分も危うく通り抜けてきた道だったんだなと心のどこかで思われてならないのです。

クライストの場合は、ナポレオン暗殺にはついに踏み切らなかった。だが小説と戯曲をいくつか書いた。別に、ゲーテが邪魔したなんてことはないだろうが、クライストには陽が射さなかった。運がつかなかった。ツキが回ってこなかった。ところが本人はそうは思わないわけです。おれは運が悪いというふうには思わない。自分は呪われていると思うんです。特異なのはこの感覚ですね。これを理解するには、自分は天才なんだというその感覚とともに理解しないとほんとうは理解出来ないと思う。この両極端はいっしょなんですよ。

六　語り手の文化・聴き手の文化

日本の作家でも、太宰とか龍之介が自殺している。ところが巷《ちまた》からすると、龍之介も太宰も、太宰はいつ芥川賞を取るんだ、みんなが太宰の文才を認めていた、語りの天才だと思っていた。現に大西巨人は若き日に太宰の愛読者だったたし、花田清輝も戦前から、太宰こそ日本の現代小説の旗手だと思っていた。それどころか、二十世紀文学の旗手だと戦後も考えていたんです。それぐらい太宰は後続の若い世代から嘱望されていた。

いっぽう、龍之介は飛ぶ鳥を落とす勢いの文壇の寵児《ちょうじ》でした。その代わり周りの作家たちからひどく妬まれていた。嫉妬の渦のなかにいた。若いときからあんまり鬼才ぶりを発揮しすぎたためとも言える。志賀直哉の文学にぶち当たって文学的に敗北したなんていうことを言う評論家がいるけれども、なにを抜かすとわたしなどは思うんです。そんなふうに龍之介をとらえる人たちは、なにも分かっていない。

龍之介のすごみはね、たとえば坂口安吾なんかはちゃんと分かっている。安吾は自身も作家で、いい小説を書いているし、いい評論、面白い評論を書いている。その坂口安吾が龍之介についいて洞察力をもって書いているんです。

龍之介の死後に残された、小説になっていない手記を原稿のまま読んで、ここに龍之介の文学のふるさとがあると安吾は言っている。ここで詳しく紹介していられないが、安吾ならではの洞察と言える。作家の文学の故郷をどこに見るかという問題ですね。生まれ故郷じゃない。魂の故郷です。そういう感覚が当時の日本の文壇に、当時、近代の日本の文壇にない。別の次元で言えば、柳田国男がなぜ文学から始めたのに途中で文学を捨てて民俗学に行ったか、ということとも関係がある。柳田さんの民俗学は弟子が何百人もいるが、あまたの弟子たちと柳田自身とは全然次元がちがっている。あるテーマについて柳田よりも弟子の一人のほうが調べているということはあるだろう。だがそのことと全然次元がちがうことがあるんだ。その次元のちがいを押さえない柳田国男研究があまりにも多い。柳田が遠野物語にあれほど心酔した秘密が解き明かされていない。おれのほうが分かっているとわたしはうぬぼれたね。柳田は佐々木喜善にある種の天才を見た。喜善自身は不遇な人生を送った人だったかもしれないが、柳田は喜善の語りのなかに天才を見ていたと思うね。現在に生きている語りというものが自分の目の前に存在していると思ったにちがいない。それをどう自分が引き継ぐか。ここにこんどは柳田の天才が発揮された。聴く人間の天才だね。聴く側にも天才があったから語りの天才性を見抜いたわけだ。そこをわたしは再現したいといつも思っている。フィクションでもいいから書いてみたいと思っている。語りの天才は聴き手の側の天才によってはじめてその天才性がかたちをなすものなんだ。

だから聴き手の側が個人ではなくて、もし一つの時代、一つの社会、多数の人々だと考えてごらんなさい。こういう時代に生まれ合わせた語り手、作家、芸術家のなんというしあわせなことだろう。もしこの時代が何十年どころか、何百年も続いたと考えてごらんなさい。そうしたらこの何百年、語りを受け継いできた文化というものは、なんと素晴らしい文化文明だったろうということになる。語りというものは語りのなかに一つの文化というものの生命を更新させるはたらきがあるんだ。中島敦は『狐憑』にそれをうかがわせる物語を書いています。

ですから同様に、文学も読んで若返らなければだめです。若返るというのは、わたしのように、実年齢が七十をとっくに過ぎて老境にはいっているが、そのこととは無関係なんだ。死ぬ間際に人間が一瞬若返るということがあるかもしれない。このことはもうすでに先達や先人が言っていることです。たとえばイギリスのワーズワースが言っているが、子どもは大人の父親である、と。この逆説が分かるかな。子どもは大人の父親である。これを思想として言ったのがルソーだった。クライストはこのルソーに、カントで行き詰まった打開策があると見た。カントの哲学、論証法では、子どもが大人の父である、こんな論証は不可能だ。ヘーゲルもカントを乗り越えようとして弁証法を編み出す。ところがクライストの場合、カントで行き詰まったかれはルソーにゆく。

おや、話があやうく脱線するところだね。クライストがなんでこんな小説を書いたのかまだ言ってない。

七　不可能に挑む

短編小説であるにもかかわらず、ここにとてつもない対照がまず枠として現われる。いっぽうは歴史に残るような大地震です。他方はイェロニモとヨゼーフェという親も許さぬ仲にある二人で、これは非常にパーソナルな関係ですね。親も許さぬというのはなぜか。男がスペイン人で、女が地元の富豪の貴族で、両者には身分のちがいがある。そう、つまり階級問題がそこにある。非常にパーソナルな関係のようだが、階級問題としてその関係を押さえることが重要ですね。

いっぽう、クライストはおれがナポレオンを殺すと言ったが、暗殺するのはなにも個人的に憎いからではない。ナポレオンの成し遂げた仕事の大きさは分かっている。ナポレオンはフランス革命の後に出てきた人物ですから革命の申し子と言えるわけです。ナポレオン自身がどこかでその演説もしている。「余は革命の申し子である」と言っている。

フランス革命から直結してナポレオンを考える人は少ないだろうが、かれが「革命の申し子である」と言ったのは嘘ではない。ナポレオンはナポレオン法典でも知られるとおり、つまりは革命に触発されて歴史を動かした人物でもあるからです。

時間があまりないから先を急ぎましょう。さっきからカントの名前を出している。カントはチリではなくリスボンで起こった大地震をきっかけにして、ああいう天変地異のような巨大な出来事が起こったときどうやって後世に伝えるか、人々にきちんと説明出来るだろうかと考えて、それは哲学ではとうてい不可能な仕事であると認めざるを得なかった。思想を語る言葉では不可能であると。天才的な想像力を有する人間が現われてそれを伝えるのでなければ、後世の人々が思い描くことさえ不可能であると言って、わざわざそういう論文を書いている。

クライストはその論文を読んでいるのです。後世に伝えるというその大きな仕事を、それなら一つおれがやってやろうと思ったかもしれない。つまり想像力を通じて、その場にいなかった人々、それから何十年も経ってから生まれた人々に対して、こういうことが現実に起こったと伝えるには、言語の力を極限まで駆使する。画家ならば絵、音楽家なら音楽だろう。だが文学者の場合は言語ですね。戯曲か、小説か、詩か、とにかく言葉の力です。

そしてクライストはこの三つの言語でやろうともくろんだ。ところがすでに三つの領域で王者の風格を持っていたのがゲーテだった。ゲーテの『ウェルテル』は青春小説と言われているがとんでもない。青年がウェルテルのまねをして続々と自殺を図ったというが、それにとどまるなら浅薄な見方であると言わざるを得ない。たとえばウェルテルが作中で黄色いベストを着ている。自殺する青年たちも黄色いベストを着て死んだ。そういう程度の上っ面の解説にとどめるなどとんでもないことです。ウェルテルの物語はせいぜい中編小説でしょう。いずれにせよあんな短い枠のなかで、ウェルテルという主人公が抱え持つことになった宇宙の大きさを作者は暗示している。それを読者は読み取らなければならない。

ウェルテルという若者はね、いっぽうでは地中海文明を代表するギリシアのヘレニズム文明に心酔してホメーロスを読んでいる。小説の前半でそれが描かれる。ところが上流社会から弾き飛ばされてかれは深い憤りと怒りを持つのです。自分を受け入れない既成社会が厳然として存在する。すなわちウェルテルの怒りはコルシカ生まれの若きナポレオンを動かした革命への熱情と対応する。

ところがナポレオンにあらざるウェルテルは、物語前半の地中海的なものへの心酔から、後半ではケルト的なもの、つまり北方の情念の世界へにわかに傾斜してゆく。すなわち『オシアン』に代表されるケルトの想像力世界です。あれを耽読するようになる。初めは地中海的で明るい。この世のなかに希望を持っている。地中海を代表する最大の人類の遺産はホメーロスであるが、これを耽読するわけです。ところが貴族社会から弾き飛ばされて、受け入れられないというところに深い失望と怒りを、というよりもほとんど絶望を味わわされる。そのかれの鬱屈を受けとめるかに思われたのが北方の激しく暗い情念を湛えた想像力による言語的所産、つまり北方的なものを象徴的に表わす『オシアン』なるケルトの民族叙事詩だった。憂愁と死への情熱を湛えた強力にケルト的なものが後半ウェルテルにのしかかってゆく。これが主人公を自殺にまで導いてゆく太いパイプになるのです。ここのところを読み取らないとウェルテルの自殺の秘密はとうてい分からない。人妻に恋をしてしまったとか、そういったことが自殺の根本的な理由ではない。

そして、そういうものを書いたゲーテに対抗しようというクライストは、カントの論文を読んで刺激を受け、人間一人の想像力ではとても受け止めることが不可能な未曽有の出来事をあえて受け止め、それを言語的な想像力を異常なまでに発揮して表現してみせようと企てた。それが自分に文学者として与えられた革命的な使命だと考えた。

ヨーロッパでフランス革命のあの理念を進化実現させるのが自分の使命であるとナポレオンが考えたとするなら、クライストはなにを夢見たか。ナポレオンを殺せないのなら、おれはゲーテを文学的に殺す。ゲーテが全ヨーロッパに影響力をふるっているからだ。ゲーテの想像力でさえ及ばぬ革新的な仕事をおれがやってみせる。これはまだゲーテが『ファウスト』第二部を完成させる前の話ですよ。その前にクライストは自殺してしまうんです。だから幸か不幸か、クライストは詩人ゲーテのほんとうの偉さが分からないうちにこの世を去っている。

それはとにかくとして、尋常な人間の想像力では表現不可能と思われるようなことに挑む文学、それがおれには出来るとクライストは考えた。みなさんはそれをとんでもない野心のように思うでしょう。

ところがそのとんでもない野心をいだいて、あまつさえそれをほんとうに実行しようとする人間が、いろいろな分野で歴史上に存在するわけです。軍事上はまずアレクサンドロスだ。紀元前のあの時代に世界統一を考えて、インドまで行こうとしたんだから。途中、熱病にかかって三十五、六で死んでしまうけれどね。それからシーザー。ローマをもう共和制に任せておけない。ローマの偉大さを偉大なまま統一し、それを自ら体現し、かつそれを維持できるのはわたしの仕事である。倨傲《きょごう》とも見えるこういうシーザーに対して、ブルータスは親友だったが危機感をいだいた。シーザーの野望は共和制崩壊と独裁への要求にほかならず、それこそローマの危機だと感じた。だからシーザーを暗殺する一味に加わった。

いま挙げたような途方もない企てを持つ人間は、暗殺されるか、シーザーのように。あるいは自殺するか、ヒットラーのように。ヒットラーの野心も、もし成し遂げられていたらと考えてごらんなさい。この世界はどうなっていたか。

いまだからみんながヒットラーを狂人と言っているが、それは取りもなおさず、わたしには理解が出来ません、ギブアップですと言っているのと同じだ。れっきとした学者や評論家が、あのような狂人がヨーロッパに現われたと言っている。なんにも分かってないね。いっぽうヒットラーとは段ちがいではあるけれども、六十何歳にまでなったのにガソリンをまいて、用意周到にメモをとって、あの人はクリニックに百何十回通っていたからやっぱりおかしかったといってそれで済ませる。自分の日常の記憶から排除してしまう。同様にセヴンティーンの若者のしでかしたことも、やっぱり思春期って、受験戦争の犠牲者というものだと分かったようなことを言って排除する。すべて記憶から排除してしまう。

われわれは、われわれの日常の感覚やスタンダードから外れるものを受け入れたままの状態で生きていくことが出来ないのです。それが出来るのは芸術家だけです。あるいは政治家、あるいは軍人ですね。とんでもない実行力をふるう人間はいろんな分野に存在する。政治においても、軍事においても、芸術においても、あるいは学問においても。

クライストの場合は途中で命を絶ってしまったが、残されたものを見ると、まさに天才とか言いようがない。タレントなんていうものじゃない。天才ですね。どこが？　さっきから言うとおりだがもういちど繰り返して言うと、常人あるいはちょっとしたタレントを持っている人には想像不可能であっても、想像不可能であるがゆえにそれに挑もうという野心をいだく人間がいるものだ。八千メートルのあの山、とうてい人間には登頂不可能と思われていた。ところがそこに挑む人間がいるんですね。エヴェレストを目ざしたマロリーがそうでしょう。マッターホルンに登ったウィンパーもそうでしょう。

誰も登っていない。ここのところが大事なんだよ。芸術作品を読んで、あるいは絵を見て、よく、なにが描いてあるか分からないと人は思うでしょう。新しい流派が生まれるとき、様式が生まれるとき、その新しい様式は前の様式を破壊するわけです。自分で自分の様式を破壊しながら成長し続ける天才がいるじゃないですか。ピカソがそうだろう。若いときからのかれの絵の変遷を見ると驚きますよ。ここで完成して、ではこれでもういいじゃないかと人は言うところだが、本人がわざわざ自分でそれを壊すんですね。色彩において、あるいは形象において、わざわざ壊してしまう。

クライストもそういうタイプなんです。わたしが前の講座で『チリの地震』を取り上げたときこう言ったんです。ロシア人はクライストのようなタイプを即座に理解する。ロシアにはたとえばプーシキン、レールモントフ、こういった作家が続々と登場した。そしてこの影響のもとにドストエフスキーが出てくる。この影響のもとに粒は小さいかもしれないが実際にそれを実行しようとして実行した詩人であり、作家であり、テロリストでもある人物が出てくる。サヴィンコフというが、詩人としてはロープシンと名乗った。つまり二つの名前を持っている。二重人格と言ってもいいね。でもだからといってこの人間はわれわれが安易に考える異常な人物というのではない。ロシアの伝統のなかに系譜として存在するんです。

こういう人間は自分の観念や想像や感覚のなかで、この世のなかはまちがっている、この世を変えなきゃいけないと確信したとき、それをいっぽうでは言語的に表現しようとするが、他方では政治的に実行しようとする。

ヒットラーの場合は絵画のなかで大きな仕事をやろうと思ったがうまくいかなかった。だから絵画をやめて政治の世界に身を投げ入れた。その前に第一次大戦で前線に行っている。下士官として最前線でたたかい、負傷も経験している。だから軍事を身をもって経験しているわけだ。そういう人物が政治に飛び込んだ。政治家になってからも、参謀本部で秘密会議をひらくと、すでに立体的なかたちで頭のなかにあるんだ。ここを攻めろというとき、ぱぱっと略図を描く。うまいんだって、それが。画家だったから空間感覚、色彩感覚が身についているでしょう。画家として大成しなかったとしても、その素養というのがやっぱりそれを目ざしただけあって生きているんです。

かれは伍長だった。フランドルの戦場で飛び交う弾丸をかいくぐって、自分の上官を助けている。戦死する間際を助けてそれで評価される。戦場におけるあのカオスのなかで、第一次大戦という人類未曽有の混沌のなかで、空間感覚が優れていなかったら前後不覚になって最前線で倒れてしまうところだ。重傷を負っている将校を背負って無事に戻ってくるなんて出来ない。そういう非常時の空間感覚がヒットラーにはあった。

政治家としても非常時の空間感覚があったから、まずソ連と手を結んで相手を油断させておいて一気に力任せでポーランドに攻め込む。それも悠長にのたのたやっていたらだめだというので電撃作戦を敢行する。上から急降下爆撃。地上から戦車。スピードが大事。こんなふうに考えた軍人は当時はヒットラーだけなんだ。なによりスピードを考えた。この電撃性に目をつけたというところですね、これがナチス・ドイツの緒戦における勝利につながっている。

八　われわれは転形期を生きている

つまり、わたしが言いたいのはこういうことです。クライストは三十半ばで自殺してしまった。自殺してしまったらそのあとはない。学者があれこれ言うだけです。残された作品を読むかぎり、短編なのにとんでもない小説を書いている。こんなものも書いているのかと驚嘆させられる。そのなかにはギリシア悲劇やシェイクスピア悲劇に匹敵するようななにかが込められていると言いたくなるものもある。

その要素の一つがまず大地震という、世界がびっくり仰天して歴史にその記録を残すような、ポンペイのあの噴火に匹敵するような大地震だ。このようにまず大きい状況を設定している。しかし実際の物語が動いていくときはミニマムな、個人の、身分ちがいの者同士が恋に落ち、そして子どもをなした。そのことから教会権力が出てきて神を恐れぬ不届き者どもというわけで二人とも死罪にされる。火あぶりのところを女性の父親が嘆願したおかげで断頭刑と決まるが、どっちみち死罪であることに変わりはない。

断頭刑というとさっき言ったように誰しもがフランス革命を思い出すわけです。いっぽう火あぶりというと中世から近世にかけての異端審問を思い出すわけです。こうやって短編だけれども読者の記憶と想像力を歴史的な文脈とイメージに沿って大がかりに掻き立ててゆく。すると短編にすぎない物語が、読者の想像力のなかで、連想に連想が重なって大きく膨らんでゆく。つまりは長編小説に匹敵するくらい膨らんでゆく。長編小説をわざわざ書かなくても想像力の効果としては遜色がないものに成長する。

クライストが目ざしたものは、少なくともドイツの作家が思いもよらない、少なくともギリシアのソポクレスが、あるいはずっと後世ではシェイクスピアが成し遂げたような、あのような悲劇に匹敵するものをおれも言語で書いてみせるということだった。それは、地震も天変地異だが自分の作品そのものも天変地異に匹敵するマグニチュードの大きさを持つものにするということなんだね。カントが示唆したように、文学の世界に大津波を起こすような、地震もマグニチュード８かそれ以上の大地震となるような、人間そういうものを書き遺したらあとはもう三十半ばで死のうがかまわないということになる。こういう人間は文学の世界におけるテロリストです。

テロリストは破壊者なんだが、あえて誤解を恐れずに言うと同時に創造者でもあるんです。それがロープシンを読むと分かるような気がする。サヴィンコフを読むと分かるような気がする。こういう系譜がロシアには連綿としてあった。だがロシアだけの特権ではない。二十世紀イギリスにこういう人間が突如として現われた。イギリスでは、ワーズワースやコールリッジという伝統が、ずっとバイロンまでくる。ところがあの伝統が生きていたかと思わせるような人間が二十世紀に突然現われた。第一次大戦を契機として現われた。それがアラビアのロレンスだった。

ロレンスは自分の手記に書いています。人間は夢を見る。夜中、睡眠中に見る夢は恐ろしくない。目が覚めるから。だがもし白昼に目をひらいたまま夢を見るような人間がいるならその人物は危険である。かれはその夢を実行に移そうとするから、と。

人間がこの世に生まれてきた以上は、なにかを成し遂げなければならない。社会を変える。政治を変える。経済システムを変えるなにかを。こういう野心を持ってこれに集中する。その集中がものを生む。変革を生む。人間この世に生まれてきたらどうせ死ぬが、死ぬ以上はなにかを、つまり自分の爪痕《つめあと》を残したい。これは人間の本能なんだ。これはたいていのわれわれの及びもつかぬ願望にとどまるかのように見える。だから、その本能を日常の人生ではごまかして生きている。その証拠は容易に挙げられる。たとえばどんなに自分が平凡だと思っている人間に対しても、その人を侮辱してごらんなさい。怒るでしょう。当然、怒らないはずがない。怒るのはどんな人にもおのれというものがあるからです。

人間は潜在的におのれの存在の証《あかし》を残したいと思っている。だから容易にナショナリストにもなる。国のため。民族のため。大義名分があれば簡単に人間は志願する。どの国もそうだ。きのうまでは出来ない劣等生だった若者が、戦争が始まったらまっさきに志願兵になる。ひとはた揚げたい。注目を浴びたい。前線に行って活躍し、勲章をもらって帰ってきたい。国のためといって自己拡大するわけです。ドイツもそうだった。『西部戦線異状なし』にそういう若者が描かれている。アメリカもそうです。『ジョニーは戦場に行った』の主人公がそういう一人です。日本も例外ではありません。戦時中にベストセラーとなった岩田豊雄の『海軍』がそういう若者を描いていますよ。

そういう目でクライストの小説を読むと、クライスト自身も異常なまでの才能の持ち主だが、かれの抱いた情熱はかれだけのものとも言えない。というのは、何びとも小さな情熱を持っている。ただそれを日常生活では押し隠している。水面下で抑圧している。とくに男はそうだ。だが戦争が始まってごらんなさい。志願しますよ。戦争はいやだとみんな言うけれど、戦争が実際に始まったら志願すると思うね。かつての戦争末期の特攻隊も、予科練なんてみんな十四、五。みんな憧れをもって志願していった。十何歳かの中学生のわたしが山口二矢のあの事件に異様な衝撃を受けたと申しました。忌避の感情とはちがった。憧れともむろんちがうが、すごいことをすると思ったことは確かです。それかあらぬか、高校にはいってからの一時期、わたしは防衛大学校を目ざそうとしたこともあります。ところが理数がてんで苦手だったからさっさとあきらめた。それで私立大学の文学部にはいったんです。だから、もののはずみというのは恐ろしい。しかしあとから考えたら、この大学に来るのは自分の運命だったとしか思えないぐらい、すぐれた恩師に出会ってしまって、それが偶然とはとても思えなくなった。でも、よくよく考えてみると、やっぱりいくつかの偶然の積み重ねですからね。

クライストを初めて読んだのは学生時代だが、同級生がみな英文科でしょう。英文学の学生にかぎってドイツ文学などめったに読まない。それでクラスの誰とも共通の話題にならない。わたしにとってはこの小説、異常な小説とは全然思われないですね。逆に、現代小説のなかでこういう作物が現われてこないことこそ文学の衰弱じゃないかと思っている。だから強調して繰り返すけれども、われわれが生きている時代は要するに転形期なんですね。転形期とは激しく渦を巻いている時代のことです。そういう時代に生きる人間はどのような存在であるべきか、自らがどのような存在でありうるか。人間は何びとも想像し得ないことに挑戦する、そういう挑戦的人間が現われてそれを実行に移そうとする。文学の世界にもそういう挑戦者がいるわけです。歴史を探ってそういう存在を見いだし、その作品について考え、作家が目ざそうとしたものを想像し、そういう努力を通じて新しい類型としての人間存在をヴィジョンとして創造してゆくことが、読者としてのわれわれにも求められているわけです。

〈付記〉ここに掲出したのは二〇二二年一月十五日、小数の有志による円卓の会の集まりでおこなった『チリの地震』をめぐる講話の記録である。したがって文中の「今朝の事件」というのも同年同日のこと。また「大阪・北新地」の放火殺人事件は二〇二一年十二月十七日に起きた。

第3章

密林に囚われて

――ウォー作『ディケンズを愛した男』

作品紹介

妻の不貞に遭遇した男が、一年間、故国を離れたいと思った。その矢先、南米へ出かけるという探検隊のリーダーと偶然知り合う。自分もそれに参加することにした。だが探検隊のメンバーが次々と奇妙かつ滑稽な理由によって脱落していく。しまいにはリーダーと主人公と二人だけになってしまう。そのリーダーも現地へ行ってまもなく、あっけなく死んでしまう。主人公だけが残る。慣れない風土、言葉も分からない未開の地で、探検どころかほとんど放浪を余儀なくされる。足元を見られ、荷物を運ぶために雇った現地人らが荷物といっしょに次々と行方をくらます。最後には一人になってしまう。おまけに熱病に冒される。空腹をかかえ半死半生でいるところを、現地に長年住んでいるマクマスターという一人の初老の人物に助けられる。

このマクマスターという人物は自分では目に一丁字ないにもかかわらず、チャールズ・ディケンズ全集を持っている。これを人から読んでもらうことを無上の楽しみにしている。だが、これがいわば一種の蟻地獄のような仕組みになっているのである。主人公は助けてくれた礼も兼ねて、最初のうちこそ好意で朗読を引き受ける。一冊読み上げた。けれどもそれで止めようと思ってもマクマスター氏は止めさせてくれない。この先いったいどうなるのか。作者の絶妙な語り口による密林を舞台にした奇妙かつ滑稽な物語である。

一　忍び寄る怖さ

司会　みなさん、こんばんは。きょう取りあげる作家と作品はイギリスのイーヴリン・ウォーの短編『ディケンズを愛した男』です。タイトルに出てくるディケンズは、ご存じのように十九世紀イギリスの文豪チャールズ・ディケンズのことです。ではまず、講師のAさんから口火を切っていただきましょう。

A（講師）　妻の不貞を知っているヘンティという男が主人公です。一年間、故国を離れてどこかへ行ってしまいたいと思っていた矢先、南米へ出かけるところという探検隊のリーダーと知り合って、自分も探検に参加することになった。探検隊のメンバーが次々と滑稽な理由によって脱落していく。しまいにはリーダーと主人公と二人だけになる。そのリーダーも現地へ行ってあっけなく死んでしまう。主人公だけが残ってしまうわけです。

慣れない風土、言葉も分からない未開の地ですから、もうほとんどふらふらしている。おまけに荷物を運ぶために雇った現地人らが次々と行方をくらましてしまって、最後には一人になってしまう。半死半生で、熱病にもかかっている。そこを、マクマスターという一人の初老の白人に助けられる。

このマクマスターという人物がくせ者ですね。目に一丁字ないにもかかわらず、チャールズ・ディケンズ全集を持っている。これを人から読んでもらうことを無上の楽しみにしている。このディケンズ朗読ということがいわば一種の蟻地獄のような仕組みになっている。主人公は最初は助けてくれたお礼も兼ねて、好意で朗読を引き受ける。読まされるのは長編小説ですから、読み終わるのもなかなかたいへんなわけです。けれども途中で止めようと思っても止めさせてくれない。マクマスターというこの得体の知れない人物の策略によって、現地を立ち去ろうにも自力では出られなくなってしまう。出口なしの一種の恐怖小説ですね。

もっとも、イーヴリン・ウォーは恐怖小説専門の作家というわけでもないのです。この短編小説にかぎっては、ホラー小説、ゴシック小説によく取り上げられるんですけれども、ウォーの代表作に『ブライズヘッド再訪』という長編小説があります。あるいは『大転落』など、日本ではちくま文庫や岩波文庫、文庫に準ずる新書サイズの白水Uブックスにも作品が収録されていて、読者にとって比較的読みやすい環境にあるんです。いまでも絶版になっておりません。『ブライズヘッド再訪』などは非常にノスタルジックな小説で、恐怖小説でもなんでもない。英国上流階級の没落を描いた作品です。

そうかと思うと、きょう、ここで取り上げる作品よりももっと残酷の度合いがひどい、ブラックユーモアを通り越して、英語で悪ふざけのことをプラクティカル・ジョークと申しますが、まさに悪い冗談としか思えないような作品も書いています。
　というわけで、日本語で四、五冊は読めます。文庫その他で容易に入手出来るんですが、日本では読者がきわめて少数と言っていい。読んでみようというきっかけがなかなか見つからない。この講座で取り上げなかったら、『ディケンズを愛した男』はおろか、他のイーヴリン・ウォーの作品も読んでみようという気にならないかもしれません。これを機にぜひほかの作品もひもといていただきたいものです。

司会　アウトラインといったものをもう少し紹介していただけますか。

Ａ　はい。この作家はなかなか食えないとか、ひと筋縄でいかない作家ということになっている。ただ、いわゆる文学の読み巧者からすると、ウォーのようなシビアな作風を持った作家こそほんものの作家だと言う人も少なくない。イギリス人の愛読者の多くはそういう評価をするようですね。
　つまり評価に国民性のちがいが現われる。日本でもし、われわれが国民的習性を「ものの哀れ」というような言葉でとらえるとするならば、その習性にまったく反するのがイーヴリン・ウォーであると言ってもいいと思います。たとえば水上勉とか、松本清張とか、悪を描いても、ウォーの小説に描かれるような、これほどの邪悪さを持った悪魔的な悪を描く作品はほとんどありませんね。みんな社会環境といったものに原因があって、よんどころなく人を殺したり、はずみで悪の道へ走ってしまったり、そういうふうに描いている。

ところがウォーの場合は、人間性の根本に邪悪さの根源があるとしか思えないような人物を描く。そこがつまりカトリックの原罪というものを前提にして、信仰ないし宗教観をずっと培ってきた風土から現われているというふうに言うことができるかもしれません。

司会　なるほど。では、前置きはこれくらいにして、あとはみなさんといっしょに考えてゆくことにしましょうか。みなさんの感想をお聞きしたいと思います。いかがでしょうか、どなたからでも。

B（五十代女性）　単純にひと言で言うなら、すごく面白かったです。わたし好きなんですよねぇ、こういうタイプの小説が。ミステリーと言っていいかどうか分からないのですが、いままで読んだもののなかではいちばん好きです。といってもまだ読んでいないものもいろいろあるわけですが、とにかくこの種のものは、怖さのなかにも忍び寄るような怖さというものがあって、そこに惹かれますね。ぞくぞくしちゃう。（笑い）

宗教、キリスト教と関わっているとおっしゃられましたね。そのことには読んでいて自分ではちょっと気づかなかったんです。宗教とかそういうものが強ければ強いほど、裏の悪の問題が浮かび上がってくるような小説というものがあるんですね。『薔薇の名前』という小説があるでしょう。ウンベルト・エーコの代表作ですよね。ああいう本もわたしは好きなんですよ。すごく面白かった。宗教で言う善とその裏側の悪とがぴったりと合うような話の進め方が好きですね。

A　いきなりわたしが差し出がましく口を挟むのもなんですけど、いま、Bさんがそうおっしゃったので、忘れないうちに大急ぎで言います。つまりイーヴリン・ウォーの場合、ウンベルト・エーコの場合、善と悪の二元論がベースにあって、善も追求するが、同時に悪の追求もないがしろにされない。それが、キリスト教文明圏から出てくる芸術や文学のいわば特徴と言ってもいいでしょうね。

そこにははっきり善と悪が表裏をなしている。両者の対照がはっきりしている。最初はそれと分からなくても、ミステリーを解き明かしてゆくにつれて邪悪なるものが浮かび上がってくる。浮かび上がった時点で、そのものが善とははっきり対照関係をなすということが分かる。これがヨーロッパのミステリーの特徴でもありますね。いくらでも例を挙げることが出来る。

口を挟んだのは、わたしが学生時代から長年読んできたイギリスの作家にE・M・フォースターという人がいるからなのです。イーヴリン・ウォーより先輩にあたる作家ですが、それでもおおざっぱに言えば同時代文学と言っていい。そのE・M・フォースターに『インドへの道』という長編小説がある。キリスト教信仰を持ってインドへやってきた敬虔な主人公の一人が、インドという特異な風土にぶつかって、それがきっかけとなって自分を見失って一種のニヒリズムに陥ってしまう。もしこの主人公がキリスト教信仰を持っていなかったらニヒリストにはならなかったかもしれない。でもキリスト教文化圏からやってきた西欧人をニヒリストに変じさせるようななにか得体の知れないミステリアスなものがインドという風土にはある。それが物語を読み進むにつれて読者に徐々に感じられてくるんです。

わたし自身、学生時代に初めて読んだときはなかなか難解かつ曖昧模糊としてつかみどころがないような気がしたものです。けれども再読するうちに、西洋の作家から見た東洋、とくにインドの、二者択一が出来ないようなミステリアスな信仰形態が大宗教であるヒンドゥー教の根柢をなしているということが暗示されている。そういう意味でユニークな興味深い小説です。

ここで現代イギリス文学のおさらいをやっている時間はありませんからあまり詳しくは言いませんが、フォースターより先輩格のもう一人の大作家でジョゼフ・コンラッドがおります。その初期の代表作『闇の奥』にもちょっとだけ触れておきたい。

あの小説も、闇の奥の奥に、ある邪悪なものが存在していることが暗示されている。だがそれがどんな種類の悪なのか、いやそもそもそれを悪とはっきり言っていいのかどうか。悪というレッテルを貼っていいのかどうか。主人公のクルツ（またはカーツ）という人物が体現している悪がいっぽうにあるが、しかし他面ではかれは理想主義的な人物でもある。文明の光を未開の地アフリカにもたらそうと善意を持ってやってきたという一面がある。その理想主義が無残に打ち砕かれてゆく。その経緯を語り手がたどってゆくという物語なんです。だが物語に深く踏み込んでみると、なかなか単純どころではない複雑で曖昧な面が入り組んでいます。

さらにD・H・ロレンスやジョージ・オーウェル、こういう作家を加えてゆくと、二十世紀以降のイギリス文学はとてもひと筋縄ではいかないということがうかがえると思いますね。

ダフネ・デュ・モーリアの『モンテ・ヴェリタ』もこの講座でやりましたが、あの作品でも、山の頂上に行って人々が遭遇するものはいったい善と言っていいのか、それとも悪と呼ぶべきなのか、あるいはあれは救済なのか、それとも堕落なのか。読む人によってまっこうからかけちがってしまい、結果として読む人によってまるで異なる解釈にもなってしまうわけです。

司会　いま講師からお話がありましたが、イギリス文学の一つの特徴として、大英帝国という存在が十九世紀から二十世紀にかけてもたらしたものが無視できない。コンラッドにしても、アフリカ・コンゴの奥地に行くという設定自体を成り立たせる環境、ウォーの本作にしても、この執筆の経過を書いたもののなかに、ギアナ、ブラジルの辺境地域を作者が旅行していてその旅先での無聊《ぶりょう》をまぎらわすために書かれたということが述べられている。

それからグレアム・グリーンの作品にも、『燃え尽きた男』のような小説がある。あれは『闇の奥』と同じでアフリカを舞台にした作品でしたね。そういった西欧からかけ離れた未開地に、冒険、探検のためはいってゆくというところから、西洋人が自分たちの文明とはちがう生活環境に置かれたときに初めて見えてくるものがあって、それが本作のテーマの一つでもある。むろん講師やわたしとは別の観点からでもけっこうです。どしどしご意見、ご感想をお聞かせください。

二　奇妙な味というジャンル

C（五十代男性）　まず最初に原文を読んで、そのあと小説の日本語訳を読みました。原文を読んでいるときは、えらいとんでもない小説だな、だまされちゃったな、と思いました。というのは面白いと思って読み始めたんですけれども、なんていうのか、短編の恐怖映画を観るような感じで、ある個所などはなんども英文を読み返して、通読しただけでも三回くらい読み返しました。

それでわたしの感想はと言うと、なんだ、ワルとアホな善人しか出てこないじゃないか、と。だまされたというのはそこなんです。ディケンズを愛しているマクマスターという男は、名前からしてマスター、悪魔のようなヤツだと思いました。

そのいっぽうで、ヘンティという男はなんて情けないヤツだろうと。善人だけどとんでもない間抜けじゃないか。そういう思いがずうっと残りました。結局、なんらかの危機的な状況、あるいは物事が自分の思いどおりにならない場合に、局面を自分で打破していくというスタンスが取れない。

善人ではあるのだがなんでもっとちゃんと出来ないのか。奥さんは浮気している。それをそのまま放っておいて、自分は南米に逃げる？　結局、この男は逃げてばっかり、逃げて逃げて結局は地獄に堕ちていく。

いっぽうマクマスターという男はよく見ると銃を持っていますね。ああいう南米の密林のなかで、かれ一人だけが銃を持っている。それだけで神のごとき存在なわけです。

むかしインディオの文化が滅んだのは、結局スペイン人が銃や大砲を持っていたからでしょう。征服者は飛び道具を持っていた。だから物語の最初のほうに弾を込めるシーンも出てくる。銃を持っている相手とどうやって戦うか、そういうことを考えろ、と思いながらずっと読んでいました。考えなかったらサラリーマンとして仕事できないぞ、報酬もらえないぞ、と単純にそう思ったのです。

そのいっぽうで、マクマスターという男を考えると、いったいこいつはどういう人間なんだろうか？　単純に考えると、ディケンズの文学が大好きで、本を読んで面白いなら、じゃあ、たとえば作者のディケンズの故郷、もしくはディケンズが描いているイギリスに行ってみたいと思わないのだろうか。あるいは他の作家の小説を読みたいと思わないのだろうか。しかしどうもそういうふしは見えない。それを考えると、結局、ディケンズの小説、一連の小説ですべてが完結しているということは、ここに一つの閉じられた世界をマクマスターは作っているわけですよね。

別の言い方をすれば、ディケンズ全集がかれにとっての一つのバイブルであり、それはユダヤ人にとっての旧約聖書と同じであり、一つの完全無欠のものをマクマスターは見いだしていることになる。ディケンズのものを読んでいればそれだけで世界を分かったつもりになるんでしょう。そもそもディケンズ自身が相当にえらい作家なんだろうとは思いますけどね。

それからこの小説の、イーヴリン・ウォーの筆致ないし文の作り方なんですが、デュ・モーリアの『モンテ・ヴェリタ』やマンスフィールドの『園遊会』と比べると、どういう感じでしょうか。『モンテ・ヴェリタ』の場合は、すごく感情移入ができる。自分が主人公といっしょにものを見て考える。『園遊会』は、すぐ隣に暮らしていながら自分たちとは全然生きている世界がちがう人々の世界を見ているといった視点ですね。

そして『ディケンズを愛した男』は、この作者の視点というものを考えると、上から見ているようなところがあります。まるで、おお、蟻地獄に落ちるぞ、おお、ころんだころんだと、上から冷たく見放しているような冷徹なところがあります。文体、筆致を見るとそういう感じがして仕方がないですね。

それからヘンティのようなこんなダメ男がなんで南米に行くんだろうとじっくり考えてみました。ちょっと言い過ぎかも分かりませんが、たぶん、そのころのイギリス人は、世界は自分のものだという安心感があったんだろうと思う。だから南米に行くことは、ほんとうはすごい冒険だったんだけれども、イギリス人でさえあればどこでも行けるのだという、そういう一つの大英帝国の植民地主義、そういう優越した文化意識があったのではないでしょうか。

司会　どういうところでそれを感じられましたか。

C　それはですね、本人はとんでもなく危険な旅をしているんだが、それをまるで感じていないでしょう。これはなぜなのかということなんです。わたしはむかし、インドの奥のほうに出張で行ったことがあるんです。そこで見た光景ですが、インドの寒村にアメリカ人の女の子が現われて、短パンでリュック背負ってたった一人で歩いている。ええっ、と思ったんです。信じられなかった。こんな辺鄙《へんぴ》なところを若い女が一人で歩いていたら絶対危ないだろう。

そういうふうに欧米から来た女の子が、どう見ても無防備な格好で一人旅をしている。そういう子がインドに行ってみたらどこにでもいるわけです。こいつら、自分をなんだと思っているんだ、えらそうに、と思いましたよ。いまはますますそうでしょう。アメリカ人というのは世界中どこにいても、わたし、安全よと思い込んでいる。

それと同じで、ヘンティは男ではありますけれども、自分がほんとうはすごく危険な行動をしている。にもかかわらず、危険の感覚や意識がない。そのころの植民地主義者、悪意はなくて、たんなる一民間人なんですが、安全という常識に染まったまま、南米に行ってしまっている。ああ、悪魔の手に落ちたな、というふうにわたしなどは思いますけれどね。

戦前の日本人にもまさしくそういうところがあったでしょう。平気で満州、中国に行っていたでしょう。わたしの育ったところは四国の田舎、徳島なんですよ。そのころ北京行きの切符が買えました。それで朝鮮半島経由で北京へ行っているんです。それから満鉄があって、戦前、日本人は朝鮮や中国、満州へ行った。たぶん、ヘンティもそんな感じで行ったんだろうなと思うんです。とにかく怖い小説だなぁ、アクの強い小説だなぁ、と思いましたですね。

司会　するとグリーンなんかはどうですか。

C　グレアム・グリーンですね。原文で読んだことがあるんです。だがウォーとくらべると、グリーンのほうが良心が残っているし、作風はずっと優しいと思いましたね。

司会　ヘンティはいわゆるイングリッシュ・ジェントルマンですね。現地へ行って、生きるか死ぬかというときでもまず髭を剃ることを考えている。なるほど英国紳士とはそういうものかなとわたしも読んでいて思いましたね。ほかにいかがでしょうか。

D（六十代女性）　最初は、この文庫の表紙の裏に、「江戸川乱歩の造語で、ある奇妙な味とは云々……」とありますね。でもわたしこれを読まないで、直接このイーヴリン・ウォーの作品を読んだんです。最初はサスペンスなのかなと思いつつ読んでたんですけど、でもだんだん読み進んでゆくうちにすごく頭にきた。なんだこれは？　という感じになったんですよ。

この作品がどのような狙いで書かれたのか、読んだ直後は分かりませんでしたが、とにかく最後はひどい終わり方です。せっかくイギリス人が三人もヘンティを探しにきたのに、ヘンティに睡眠薬を飲ませて二日間も眠り込ませるでしょう。捜索隊が来たときに十字架を置いとけば、それを見てかれらがどう思うか。ああ、ヘンティは亡くなったんだと思うのは自然じゃないですか。それでマクマスターという男がどんな男かを疑いもせず、捜索にやってきたかれらは手ぶらで帰ってゆくんですよね。そういう人間とは思えないようなひどいことをマクマスターはやっている。

でも、こういうことをこの男がやるのはなぜなのだろう？　作者もなぜ、このような作品を書いたんだろう。それがわたしの疑問だったのです。それで他の作家のも読んでみようと思って表紙の裏を読んだら、ＳＦでもなくミステリーでもない、奇妙な味の、こういう作品のジャンルがあるんだ、ということが書いてあった。

奇妙な味って、いままでわたしなんかが全然知らなかったジャンルです。でも読んだあとに気づかされましたね。読んでいるうちはイライラしていたんですが、読み終わってからそういうジャンルの小説なんだと分かったら、イライラ感は解消されました。その代わり、あらためて振り返って、こんどはぞっとさせられました。

マクマスター氏を言い表わす言葉がわたしにはちょっと見つかりません。けれども、Ｃさんが言われるように悪魔としか言いようがないような邪悪さを秘めた人物ですね。

いっぽう物語の前半で、一人きりになってジャングルのなかをさまよい歩いているところを助けられるヘンティは、物語の全体を見ると、やっぱり蜘蛛の巣にからめとられた小さな昆虫といったところですね。昆虫は食べられてしまうわけでしょうけど、このマクマスター氏は蜘蛛と同じで一気に殺すことはしない。本を朗読してもらいたいからでしょうけど、なま殺しというか、飼い殺しっていうか、どんなにヘンティが正面からぶつかっていってものらりくらりとして受け入れようとしない。それどころかさまざまな謀略を駆使しながらかれをそばに置いて、あくまでもディケンズを朗読させせようとする。

こういう人物に遭ったら、もうこれはお手上げだなぁと思いました。最初はこのヘンティがなんとかマクマスター氏の手から逃れて帰国できるように、なにか知恵はないか、自分も読みながらいっしょになって考えていたんですよ。でもちょっとお手上げでしたね。

それで、ぞっとしたというのは、いま、現代にもこれに類するような、人間の皮をかぶった悪魔のような人間が政治の世界にもいるんだろうなと思って、それに対して一人ではとてもあらがいきれないと思ったからです。一人一人の人情というかそういうものが作用してしまうので、どうやってもあらがいきれないし、悪に抵抗出来ない。

この作品はそういうことまで意図してはいないかもしれないけれども、読まされたわたしとしては、現代に特有の恐ろしさ、怖さ、そういうものとダブらないわけにはいかない気がしましたね。だいたいこれがわたしの感想です。

司会　するとDさんは、マクマスターを正真正銘の悪人だとお考えになるんですね。

D　ええ、この男はもう悪魔ですね。

A　その点ではCさんと、解釈、意見が同じということですね？　つまりマクマスターを悪魔というふうにみなす、考えるという点では共通していますか。

D　そうですね。そう言ってもいいと思います。ヘンティを自分のそばに置いてディケンズを読ませたいために、謀略を仕掛けて、ヘンティの捜索にやって来たイギリス人をていよく追い返してしまう。形見として時計を持ち帰らせるわけですよね。

　人間でもそれに近いことをやるかもしれませんが、わたしにとっては悪魔の所業としか思えないですね。少なくともマクマスターに対して悪の象徴のようなイメージを持ちました。人間と思えない行為です。だって自分のエゴのために、一人の人間をなま殺しにしていくわけだから。一気に殺すほうがまだマシという気がしなくもない。そういう感想ですね。

司会　CさんもDさんも一刀両断ですが、Aさんからするとどうでしょう。

三　邪悪さと無邪気さの共存

A　あえてお二人に異論を唱えるようですが、わたしはマクマスターという人物をかならずしも悪魔だとは思わないんです。
　確かにそう見えるけれども、そのいっぽうで、ディケンズの小説にこれだけ没頭できるのは、それなりの文学への感受性がないと興味が続かないでしょう。

　そうすると、悪は悪でも単純な悪ではない。つまり、泥棒は悪であるという意味で言われる単純な悪ではなくて、他人に対しても平気で悪いことをするけれども、だからといって周りの人間に対して悪をもって支配するものでもない。一面では悪魔的であるいっぽうで、ディケンズに本気で惚れ込んでいる、そういう面があると思う。

　ですから、そこがこの物語の興味を掻き立てられるところでもあるわけです。
C　それは、ディケンズを評価するだけのインテリジェンスや知性をこの男が持っているということですか？
A　うう……。知性、ではないでしょうね。むしろ感性と言いますか、あるいは感受性ですかね。悪魔的にふるまいながら同時に感受性もある。矛盾しているように見える。けれども、その矛盾がマクマスターという人物であるわけですから、そこのところをわれわれはどのように考えるか、ということですけれども。

D　矛盾と講師は言われますが、わたしはそれでも分からないのです。この邪悪なマクマスター氏がなぜそれほどまでにディケンズの作品を愛したのか。いまのお話をうかがってもわたしにとっては謎ですね。

感受性があるというのはいい評価でしょう？　でもこの場合、人間の感性、感受性が豊かである、とはちょっとちがうなと感じる。

なぜディケンズをこのように愛読し続けているのか。だってそのために一人の男をなま殺しにしていくんですよ。感受性豊かな人がそんなことをするでしょうか。確かにかれは、現地の人々に対してはなにも悪いことをしていない。でもほとんど次から次へと女性は自分の妻にして、それから子どももみんな自分の子どもだと言っている。つまりかれはその村をいいように支配しているわけですよね。

直接痛めつけたりすることはないけれども、実質的にそこの住民をかれが支配している。だから村人たちは、かれに抵抗できない状況が続いている。誰か一人でも抵抗なり、抗おうとしたら、銃で成敗されてしまうのではないでしょうか。

司会　さきほどディケンズの読み方という話が出ました。マクマスターのディケンズの読み方、独特さは、わたしも非常に関心を持ったのです。かれは朗読を聴きながら、ストーリー自体に関心があるのではなく、物語に描かれる社会状況にも関心はない。もっぱら登場人物に関心があるように見える。

たとえば、この人間はなんでこう思うんだろう、としばしばヘンティの朗読に口をはさんで質問するでしょう。そうとう人間に対する関心があるように思いますね。タイトルにもあるように、ディケンズの読み方というものはマクマスターを考えるうえでとても重要なことだと思います。つまり、この人物は単純に割り切れない。そういう一人の男がいる場所に、イギリスからやってきた資産家がからめ取られる。妻に不貞をはたらかれても声をあげるわけではなく、あくまでもジェントルマンであった男が、こういう場所に来て、マクマスターのような男と対峙させられる。というところに、この小説の始まりの面白さがあるのではないか。

C　それでもさっきから言っているように、わたしもマクマスターはやはり悪魔だと思うんです。といっても、わたしが思ったことのほとんどはマクマスターに対する怒りではありません。

この点もDさんが言われたようにむしろヘンティに対する怒りなんです。

マクマスターは複雑な感受性を持った悪魔ではあるんだけれども、かれに対する怒りより、むしろヘンティに対してわたしは怒りが募る。なんてだらしないヤツなんだということです。いくら善良でもこんなバカはどうしようもない。これではダメだろうということです。

政治にかこつけて言いかえるなら、政治状況が悪いからといって、その悪い政治をやっている政治家を訴えるのではなく、その悪い政治家を目の前にして黙っている、お前の主体性はいったいなんなのか？　それが問題だ。だからわたしのなかにこみあげてくるのは、もう、ヘンティに対するわるぐちばっかりですね。（笑い）

司会　では、Aさんとしてはどうでしょう。

A　ディケンズを愛する愛し方、一つはそこに読者は注意を向ける必要がありますね。英語圏の読者だったら、当然、そこに目を向けなきゃならない。日本でもディケンズは子ども向け、少年少女文学にもはいっている。道徳的にとてもためになり、小説としても面白いわけです。

E（五十代男性）　ええ、面白かったんです。さっきのCさんの発言を聞いていて、ヘンティが間抜けな善人とは自分のことを言われているみたいな感じがしました。

司会　おやおや、ご冗談でしょう、Eさん。本気でおっしゃるならそうとうに問題のある発言ですね。このヘンティはおれのことかなと解釈したとすれば、ウォーの作戦に足をすくわれているということになる。（笑い）

E　はい、半分、冗談です。（笑い）

A　ええ。冗談にはちがいないとしても、やはりわれわれは読者として考えなければならない。自分とヘンティ。なんで、どこが、似ているんだろう？　その似ている部分の分析がやはり必要ですね。似ているというそのありかた、類似性の分析をやらなくてはなりません。そこのところでわたしは、CさんやDさんの解釈とガラっと変わるんですよ。

マクマスターが悪魔？　わたしに言わせればヘンティのほうが、よっぽど悪魔です。

B　ええ！　どこがですか？　それを聞かずには帰れない。（笑い）

C　いや、わたしもですよ。（笑い）

A　この短編小説、たったこれだけのことで読者に対してこういう仕掛けを作ってくるウォーというのは、ほんとうに食えない作家だなあ。イギリス文学を多少かじっている人だったら、ディケンズも多少は、つまり何冊かは子どものころから読みますよね。それから子ども向けに書き直されたシェイクスピアだって、『ハムレット』、『ロミオとジュリエット』、『マクベス』とかね。

それからもう一つ大事な作品があるでしょう。シェイクスピアで、誰でも知っている、愛する妻を殺してしまう哀れな男の話。妻が不貞をはたらいたと勘ちがいしてしまう。

B　ムーア人が主人公の『オセロ』ですね。

A　はい。そのオセロを陥れるのがイアゴーという男。類推的にすぐにわたしに連想されるのはイアゴーですね。イアゴーはほんとに厭《いや》なヤツで、悪魔のような邪悪さを持っている男です。このマクマスターの場合とも比較連想される。でも果たして、マクマスターはイアゴーその人と同じだろうか？　と考えると、そこはどうもちがうように思われます。

マクマスターはまずディケンズをこよなく愛しているわけです。だが自分では文字が読めない。仕方がないからそのつど誰か人に読んでもらう。ヘンティの前は黒人系の男だったが、病気にかかって死んでしまった。ヘンティはその人物の墓まで見せられます。病死ではあるが、マクマスターにディケンズを読ませられ、読ませられして、へとへとになっても止めさせてもらえず、もう過労死みたいなものだ。

でもマクマスターは自分がそうさせたとは思っていないわけです。本の先を読んでもらいたかっただけなんですね。それゆえこの男に邪悪性を見るだけではなく、無邪気さもあることを見逃すわけにはまいりません。その両面を見なくてはいけないでしょう。つまりマクマスターの悪は無邪気な悪なんです。

無邪気な悪があるからこそディケンズの世界にストレートに没入できる。ディケンズの世界のなかにはいり込んで、いちいちの人物たちに同情したり、なんでそこで彼女はそういうふうにふるまったんだろうねぇ？　こうだろうか、ああだろうか、と一生懸命感情移入しようとする。その熱心さたるや、驚くべきものがありますよ。もう愛読者なんてものじゃない。人に読ませておいてね。

他方ではかれは鉄砲を持っているんですから、その地域ないし共同体の事実上のボスです。しかも白人ですから至高の存在ですよね。何人も妻がいて子どももたくさんいる。このあたりはみんなおれの子どもばかりだとうそぶくでしょう。つまり血縁家族が王国を作っているわけで、その中心がマクマスターですね。

いっぽうヘンティはそうじゃない。ヘンティは女房が不貞しても責めないで、責めるどころか相手の男をぶん殴りもせず、決闘も申し込まない。英国のジェントルマンだったら決闘を申し込むところですよ。立会人を立てて、拳銃か、サーベルかで決闘する。ところがかれはクラブへ出かける。家にいたくないからです。

ところがそのクラブに行くにも、妻の浮気相手が出入りするかもしれないから従来のところは止めて、いままで行ったことのないところへ出かけてゆく。そこで探検隊のリーダーと遭遇するわけじゃないですか。

B　そこら辺なんか物語としてうまいと思ったところですね。

A　そう、素朴な書き方のようだが作者は戦略的に書いている。それでまた探検隊が現地に着くまでに次々と脱落していく。Cさんがおっしゃったように、婚約者ができたからくにに帰ると隊員の一人が言うと、ごていねいに帰りの資金まで出してやる。物惜しみしない。さきほどの話のように、なんという善人、なんという愚かな善人だと思われる。なんなんだこれは、いったいこの善人ぶりはなんなんだということですよね。

　しかし、マクマスターとヘンティを天秤《てんびん》にかけたら、どっちが重いか分からないぐらいですよ。いい勝負だ。一見まったく対照的だが、現実的にこういう二人の人物を考えたら、これはどっちも同じ穴のムジナだとしかわたしには思えない。だってマクマスターは鉄砲持っているんですから。Cさんはさっきいみじくも鋭いことをおっしゃったじゃないですか、インカ帝国のことで。

C　南米、インカ帝国が滅ぼされたのは、スペイン、イスパニアが火器を持ってやってきたからだ、というところですか。

A　そうそう。その点ではわたしも同意見なのです。ですが、鉄砲や大砲だけでインカ帝国が滅びたわけではない。インカ帝国も帝国だった。だが帝国の原理がちがったのです。
　イスパニアは侵略者たちもキリスト教徒です。イエズス会の修道士たちもいっしょにゆく。いっぽうで支配、侵略、略奪しながら、神の教えを説いて回って改宗を促していく。これはかつてスペインが南米でやったことだが、こんどはそれを、数百年後には西欧がアフリカでやるわけです。ヨーロッパ列強は、たとえば二十世紀後半にいたるまでベルギーの修道会がコンゴにはいっていた。コンゴで民衆反乱が起こると尼さんも含めて何百人も虐殺されました。飛行機に乗る寸前で、積年の恨みで憎悪と怒りにわれを忘れた原住民たちに襲われて殺されたと書いてある本を読んだことがあります。

それだっておそらく一コマにすぎないのです。いたるところでそうだったと思われる。だがだからといって、原住民は悪の集団、悪の塊だったのでしょうか。そうは思われません。かれらはそれまで、虐げられ、侵略されて、人間扱いどころか、奴隷扱い以下だった。こういう人々の怒りが噴出したわけです。

たとえばフレッド・ジンネマンの映画『尼僧物語』にもその片鱗が描かれているんです。あの物語は実話にもとづいています。ミッションの病院で看護に献身している尼僧のところに現地人がやってきて、尼僧の一人をいきなり撲殺するんです。なんなんだ、この暴力は、と観客が衝撃を受ける場面です。

しかし、近世から現代にかけての帝国主義、侵略主義、植民地化を振り返ってみれば、いたるところで同じことが起こっています。そして、さっきCさんもインドの例を出しておっしゃったが、ヘンティはまるで、いま、たとえインドや中国の奥地であろうと、または中南米の治安状態があまりよくないところであろうと、そこにホットパンツはいた姿で平気ではいってゆくアメリカ人の女の子みたいです。

自分たちのおもむくところはまったく安全圏であるかのようにかれらは思いこんでいる。まったく恐れを知らない。この、恐れを知らないというのは無知ということですが、同時にある意味では無邪気なわけですよね。

だが他方から見たら文明人の傲慢さがそうさせるわけでしょう。頭から自分たちは安全だと思いこんでいるのですから。

物語をよく読めば、ヘンティはさかんに「文明社会、文明社会」と言っています。しかるに現在自分のいるところは「野蛮社会」なんです。この対照がヘンティにおいてはまったく無意識のまま口をついて出る。なにも考えていない。無意識という点では、すなわちマクマスターが黒人を使い、ヘンティを使って、ディケンズが好きだから酷使して死にいたらしめる、それが無邪気なのと同じことですね。秤にかけたら同じとわたしが言うのは、その無邪気さが同じだからです。

しかし視点を変えて見たら、その無神経さこそが悪なのです。いっぽうは現地における悪、他方は文明社会から来たふしだらで主体性がない人間。主体性はないくせに、帝国の支配というものにまるで無自覚に便乗している。探検隊のリーダーだってそうですね。探検隊と称している白人たちはみんなそうです。作者はそこをちゃんと考えて書いている。

だから読者が単純にストーリーにからめ取られて、近視眼的にこいつは悪いやつ、悪魔みたいなやつ、いっぽうこいつはいいやつ、底抜けの善人、とそんなふうに単純に見るのは甘いですよと作者は言いたいわけだ。

イーヴリン・ウォーの他の作品も読んでみると、たとえば『ブライズヘッド再訪』を読んでみると、わたしなどはバカバカしくて、だまされているような気がして読みたくなくなるんです。事実途中で投げ出してしまった。ベストセラーですけどね。あれだけが大衆的に人気を博している小説で、テレビドラマでもシリーズになっている。いっぽうこの『ディケンズを愛した男』もテレビでドラマ化されている。ヒッチコック劇場、トワイライトゾーン、ホラー劇場などと同じで一時間番組です。見たあとはいやぁな気持ちになるように作ってある。カタルシスがないのです。

B　ええ、わたしもそれは感じましたね。カタルシスがないというところが、グレアム・グリーンとはちがうところですね。グリーンにはおおむねカタルシスがあります。一点の人間の善意というものがどこかに保証されているし、ちゃんと通風孔がある。

A　ウォーはその通風孔をいわばふさいでしまった。意識的にふさいだのでしょう。だから読者としては内訌せざるを得ないわけです。

問題は、内訌してうずうずするその気持ちを反転させて、読者が自分のなかを見るきっかけにしなければならないのに、一般の読者は物語を読んで楽しみたい、安心したい、憂さ晴らしをしたい、消費したいわけです。ウォーは読者のその消費主義をあざ笑っている。

四　ひと握りの塵に恐怖を

F（四十代女性）　いままでの論議とちょっと観点がちがうかもしれませんが、いま思い出したのでわたしにも発言させてください。さっき冒頭に何点かイギリスの小説を挙げられましたが、フランスの作家のものはどうなんでしょう。たとえばモーリャックの『テレーズ・デスケールウ』も読者に挑戦する仕掛けが物語にありますよね。

主人公のテレーズは夫を殺そうとした悪女なのか、それとも彼女自身に殺意はなかったのか、それが最後まで分からない。読者に向かって投げ出されたままですね。作者はたぶん問いかけているのでしょう。あなたはテレーズを有罪にしますか、それとも無罪にしますか、どっちです？　と。

キリスト教的な観点からすれば、善悪はっきりしているところでしょう。それがテレーズの心のなかでははっきりしない。テレーズ自身にもはっきりしていないわけです。わたしはほんとうは夫を殺そうとしたのかしら？　嫁いでこんな荒涼としたところに暮らしているけれど、こんなところで一生を終わりたくない。だからといって自分は夫を殺そうとしたのだろうか、果たして殺意があったのだろうか、本人も分からない。そういう心理小説ですよね。

帝国主義の問題ということで言えば、同じフランス文学でも、南米というスペイン支配の国のことを扱った小説がありますね。十八世紀に南米のインカ帝国滅亡を描いた小説を書いている作家がいるんです。マルモンテルという人です。代表作は『インカ帝国の滅亡』というのですが、全訳ではないようですが岩波文庫にあるんです。

いつか読んでみたところすごい傑作で、さすが十八世紀にフランス革命を起こした国だと思いました。同じ帝国でも、イスパニア帝国がインカ帝国とどれほどちがうものであったか、そして前者がその帝国の悪、邪悪さというものによって、後者の帝国の平和と秩序をいかに滅ぼしていったか、それがじつに克明に描いてあるのです。

Ａ　おお、マルモンテルですか。確かに、世界文学辞典などには「穏健な古典主義者」などと書いてあるが、マルモンテルはヴォルテールの弟子ですからね。師匠同様官憲から追われた身です。

つまりスペインのことを書いているけれども、これはフランス帝国主義に対する批判、体制批判だ、貴族主義に対する反逆だ、ということで作者は逃げ回らなくてはならなかった。つまり亡命を余儀なくされた作家ですね。

司会　話が広がりすぎてもなんですから、ここらで話題をウォーに戻してください。

A　そうしましょう。ヘンティ本人は邪悪さなど微塵もない、困っている人に対してためらいなく湯水のように金を貸してやる。かれは金持ちだから、金に困ったことがないからそういうことがためらいなくできるわけです。金に困った人間がもし善意を持っていて、自分より困っている人が金を貸してくれと言って来たときに貸してあげたいが、貸してもし返ってこなければ自分が困る。そこで岐路に立たされる。心を鬼にして断るか、あるいはなんらかの保証をちゃんと立ててから貸すか、利息を払うことを条件にするか、これは現実に生きていく上ではやっぱり必要なことでしょう。ところがヘンティにはそういういわば現実性がない。

現実性がないのは、かれ自身がそのなかの一人である帝国がちゃんと帝国として機能しているということなんです。だからかれは女房から一年間離れたいというだけの動機で、なんの訓練もしていないのに南米まで安易に出かけてこられた。動機はとにかく、さっきCさんが言われた先進国からやってくる考えの浅はかな女の子たちと同じですよ。それでこういう目に遭ったわけでしょう。ひどい言い方ですが自業自得とも言える軽率さなんです。

自業自得とは、いくらなんでもそれはひどい言いぐさじゃないかと言う人がいたら、わたしの最初の論理を反駁してもらいたい。つまりわれわれは、小説を読むときは小説のなかに取り込まれてしまったきりではだめなんです。小説が面白ければ、どうしても読者は感情移入していくでしょう。でもそれと同時に、自分を知的に突き放すもう一人の自分が形成されなくてはならない。そういうもう一人の自己がいることによって、当然ながら読者のなかで自己葛藤が起こるわけです。この自己葛藤を経験することが、近代の文学を読むということなのです。

このマクマスターはたとえて言えば、あのナチスの親衛隊と同じと言ってもいいでしょう。アイヒマンと同じだと言っても差し支えない。六〇〇万人のユダヤ人を収容所で虐殺しながら、そのために日々精励しながら、総統のため、帝国のためと思っている。家に帰ればいいお父さん。そして愛犬を可愛がっている。それで愛犬がちょっとでも怪我したりしたらもういたたまれない。すぐ病院に連れて行けと家人に言いつけ、人間さまよりもはるかに犬を大事にする。

ところが翌日収容所へ行けば、叩くわ、レイプはするわ、ガス室になんの良心の呵責もなく送り込むわ。この落差はいったいどこから来るのか？　しかし人間はそういう面を日常と地続きで持っている、ということが現代史で証明されたわけです。未開時代の話ではない。また十九世紀のジキルとハイドのような善と悪の対立図式で済む時代の話でもない。二十世紀でそれは起こった。ウォーは現代作家だからこれらのことをすべて念頭に置いているわけです。

なにしろものすごい教養ですからね。博覧強記もいいところだ。背景にあるのはホメロス伝説からアーサー王伝説、そして同時に現代作家ですから、現代の帝国主義の悪というものをよく見ている。こんな短編小説を書いてさえ、そういうものがしっかり見つめられている。無聊を慰めるために書いたなんて本人はとぼけているがとんでもない。それは世間を欺く仮の言葉に過ぎないので、これはよくよく考え抜かれて書かれている物語です。のちに長編小説、『ア・ハンドフル・オヴ・ダスト』の最後の段でこの短編がそっくりはめ込まれている。長編小説の構造のなかにこの短編がはめ込まれているんです。よくよく考えられているんです。

司会　『ア・ハンドフル・オヴ・ダスト』つまり『一握の塵』という言葉は、イギリス二十世紀、つまり現代の大詩人、エリオットの詩から取られているんですね。こういう一行がありま す。

"I will show you fear in a handful of dust."

「ひと握りの塵のなかに恐怖を見せてあげよう」

T・S・エリオットは、一九二二年に『荒地』という長い詩を書いて、それで一躍世界でモダニズムを代表する詩人になったんですね。

A　『荒地』というのは、言ってしまえばヨーロッパが第一次大戦後、文明の進歩というものが幻想に過ぎなかったということを歌った詩です。キリスト教の理想も、人間の善意も、進歩主義も、ことごとくご破算になって荒地に戻ってしまった、という詩です。

いま司会者が紹介してくれたように、そのなかに「たったひと握りの手のなかの塵にわたしは恐怖を見せよう」という恐ろしい一行があって、ウォーはそれを使って長編小説『ア・ハンドフル・オヴ・ダスト』を書いた。その小説のなかで物語の掉尾《ちょうび》を飾るのが『ディケンズを愛した男』。

だから、なぜディケンズか、ディケンズとはいったいどういう作家かということが問題になるわけです。さっきから言っているように、子どもが読んでもディケンズは楽しいし、泣ける。つまりお涙ちょうだいなんだ。大作家だがお涙ちょうだい、つまりセンチメンタリズムが大衆性を支える基盤になっている。

ディケンズは人間の善意を最後まで信じた作家です。悪も描くが、悪よりも善のほうがはるかに強いということを、どんな作品でも言っている。どんなに悲劇、ここでヘンティが読まされる小説、これなんかでも非常に悲劇的な物語です。涙なくして読めない。でも作者は、ちゃんと人間には救いがあるということを最後に読者に伝える。それを愛読しているというマクマスターが悪魔だというんでしょう。悪魔つまりは鬼神をも泣かしむる、そういう小説なんですね、チャールズ・ディケンズの文学は。

だからイーヴリン・ウォーは、ディケンズの人間観は甘いと思っているわけです。二十世紀に通用しない甘さだと思っている。『オリバー・ツイスト』『大いなる遺産』『二都物語』『クリスマス・キャロル』、あのアウシュビッツを経験したあとで、それでも人間はこういうものをまだ読んで、文学では最高級のイギリス文学だと思っているなどとは甘いよ、というふうにウォーは考えていたにちがいありません。

G（六十代女性）　わたしは最初、読んでいてイライラしちゃったんです。それで気になって、また読み直して。いまの議論をお聞きしていて、なんなのかしら？　最初っからわたしの読み方がおかしいのかしら？

A　なにがいちばんの邪悪さか、ということを念頭に置きながら読むと、読む作品とのあいだに距離ができてくる。じかに向き合うとイライラします。

たとえば、似たようなイライラ感をわたしが感じたのは、高校時代に最初に読んだときの『嵐が丘』でした。あそこに出てくるヒースクリフというのが、ほんとうにいやなヤツなんです。だけど繰り返し読んでいくうちに、感情移入とはちがうが、これはやはり傑出した男なんだと思うようになりました。しまいには、こんな傑出した男を造形した若いエミリー・ブロンテという三十前の女性が、イギリス十九世紀半ばに実在していたんだ、と考えているうちに、もう茫然とさせられましたね。

イギリスの映画、イギリスの小説も、似ているのはイライラさせられるところがあるところなんです。そこがアメリカ映画とちがう点でもあります。フランスにはまだエレガンスがあるが、イギリスはイライラさせられる。あんなのは日本では受けないがヨーロッパでは批評家がいい点をつけるんです。

とくに第二次大戦直後からイギリスではそういう映画監督が新しく出てきて、みんな才能があるからハリウッドに吸い込まれる。やがて甘いものを作ってダメになるんです。

わたしが長年研究したE・M・フォースターの代表作『インドへの道』だって、読んでいるとイライラしますよ。学生時代にイライラした。だからなぜなのかということを考えたんです。自分のこれまで読んできたものとは傾向がちがう。そこを突き止めるために卒業論文のテーマに選んだくらいです。

ということはこれは挑戦しがいがあるものなんだと思った。感情移入したがる自分を突き放すという作業を何年もかけてやりました。ブレヒトの異化効果に似ているが、むろん方法としての意識がフォースターに明確にあったわけではありません。でもイギリスの小説のあるものには、ブレヒトより前からこの異化効果を思わせる要素があるんです。

G　ディケンズを朗読して聴かせるわけでしょう。聴くほうも読むほうもなんどもなんどもやるのは、どうしたって飽きると思うんです。それをどうやって聴き続けられるのか、それが不思議でならない。

A　マクマスターは飽きないのですよ。かれのなかで物語がそのつど面白さがフレッシュに感じられる。

B　ここに、「類のない聴き手」と書いてありますよ。その場面だけだと、朗読するほうも楽しいじゃないですか。反応がボンボンくる。最初のころは、ヘンティはマクマスター氏以上に読んで聞かせることがすごく楽しい。そういうところが出てきますよね。あとで地獄になっていくんだけれども最初はちがった。だから、光景が浮かぶんです。本を読んでいて、なんかただ聴いているんではなくて、いろんな反応を示している。マクマスター氏はすごい類を見ない聴き手でもあるんですね。

G　だけどずっと読ませて、ずっと聴かせることは、どっちにしても退屈してくる。聴くほうにしても、読むほうにしても。

A　おっしゃるように読むほうは退屈してくる。しだいにつらくなってくるんです。だから、もう心身ともに力が尽きて読み手は死んでしまう。ところが聴き手であるマクマスターはそれがない。マクマスターにとっては、ディケンズを読んでもらうということは、まるで名曲を繰り返し繰り返し聴いて飽きないのと同じなんです。

ナチスの親衛隊の将校が家に帰ってきてピアノを演奏したり、レコードを繰り返し聴いて、それで一日の疲れを癒して、リフレッシュして、また翌日行って、ユダヤ人を殺す。そこに矛盾をまったく感じない。

G　読んでいてイライラするんだけど、また、読みたくなる感じがあることも事実ですね、不思議なことに。

五　邪悪なるものの現代性

司会　Hさんはどういう感想ですか?

H（五十代男性）　いちおう二回読みました。そんなにイライラしなかったですよ、ぼくは。コンラッドの『闇の奥』と重ね合わせて読もうかなと思ったんですが、あいにく本が家になかった。ギアナってどこにあるのかなと思ったり、ギアナにウォーは実際に行っているのだろうか、とか思って少し調べてみました。

するとウォーは一九三三年に南米のガイアナとブラジルの辺境地域を旅行している。司会の方も初めのほうで言われたように、ブラジル領内のある村で足止めをくらい、アマゾン川下りの連絡船を待っていた。その無聊を慰めるために書いたのがこの短編だった。

だからかなりの部分、自分で見てきたということもあるのかな、と思いましたね。それでこのなかに書かれていること、ジャングルのこと、もう少し調べたかったけれど、手もとの資料にはあまり出てこなくて、図書館にでも行って調べようかなと思っているうちにきょうが来てしまったという感じなんです。

この舞台は、ちょうどベネズエラのすぐ近くみたいですね。ブラジルとベネズエラに挟まれたところあたりでしょうか。

司会　それで、あなたのご感想は？

H　ディケンズのものは『クリスマス・キャロル』を小学生のころ読んで、あまり記憶にないんですけれども、この物語にディケンズが断片的に出てきて、きっとマクマスターがディケンズを読むところになにかあるんだろうな、というふうな感じはしました。

A　うん、それだ。ディケンズは『クリスマス・キャロル』が世界でいちばん人気があるから、あれ一冊でもいい。あれにディケンズらしさの集約が出ている。あれは大人も子どもも楽しめる。強欲な人間が死んでからどうなるかということなんだから。

ディケンズには勧善懲悪があるんです。その勧善懲悪の思想に対してウォーは反旗をひるがえしている。それだけははっきりしている。

H　それでマクマスターは、かれ自身は悪魔的な男なのに勧善懲悪が大好きなのか。

A　そういう人間が二十世紀には多いじゃないですか。自己が分裂しているのに、それに気づかないまま平然と芸術を楽しむことができる。それどころか、自分自身なみならぬ芸術への造詣《ぞうけい》を持っている場合もある。または感受性という点でもなかなか鋭い。絵画に対する感受性、音楽に対する感受性、詩に対する感受性、ね。

だがいっぽうでその人はなにをやっているかと言えば、死刑執行人であったりするわけです。それで自分の死刑執行は職業だと割り切っている。だから良心は痛まない。やっていることと良心との関係が分裂して、それぞれを入れる引き出しが二重になっている。その二重性が人間としては分裂であるということに自分はいちども思いをいたしたことがない。

司会　まだ発言しておられない方で、どなたかどうぞ。Iさん、いかがですか。

I（七十代女性）　ただもう、すごい小説だなと思って、それをどう言葉にできるか、さっきから議論をうかがいながら考えていたんですけれども。まず、この物語全体としてウォーは、文明人とはなんなのか？　ということを追求したんじゃないかと思っているところです。

というのは、マクマスターがずっとこのギアナの奥地にいて、銃というものに象徴される力を持った男としてそこにいるわけですね。そこにヘンティというヨーロッパの文明的なものを背負った男がやってくる。そこでマクマスターはこのイギリス人に自分の大好きなディケンズを読んでもらうことを思いつく。文字が読めないからだれか英語の読める人に読んでもらうことによって、初めてマクマスターはディケンズの世界が追体験できるわけです。ヘンティは殺されないがその前の読み手だった黒人の場合は死んでしまうわけですよね。

B　とはいってもヘンティも死ぬでしょう、遠からず。本来の寿命とはちがう死に方で、黒人と同じように。

その死について考えると、わたしが思い出すのはドストエフスキーの『死の家の記録』ですね。あのなかに恐ろしいエピソードがあるでしょう。

司会　知らない方もいるでしょうから、そのエピソードをもう少し紹介してください。

B　囚人の一人がある日看守に呼ばれるんです。すると目の前にこんもりした砂の山がある。そばにバケツがある。看守が「この砂の山をあそこまで運べ」と、百メートルくらい離れたところへ運ばせるわけです。それで砂運びで往復しているうちにこっちの砂の山がなくなるでしょう。砂の山は向こうにできる。すると看守が、もう一度あそこからここへ、つまりもとのところへ運べと命じる。それを無限に繰り返させるわけです。

囚人は発狂するか、自殺するか、疲れ果てて死ぬか。これほど恐ろしい地獄はない。現実にドストエフスキーはそれを見たわけです、シベリアでね。これは看守のサディズムですが、この種のサディズムが収容所というところでは、囚人も看守も同じ閉鎖空間だから、人間の根本的な邪悪さがいろんなかたちで出てくるわけなんでしょう。つまりナチスがそうだった。収容所での人間行動を見ると、囚人の行動だけじゃなくて、親衛隊の側の行動も異常ですよ。

そのことはいろんな資料に出ているわけです。生き延びた囚人のフランクルにせよ、コーエンにせよ、ジャン・アメリーにせよ、またベッテルハイムにせよ、のちにそれを証言として書いていますものね。

I　いまのドストエフスキーの話、行ったり来たり、囚人にさせるのは、ここではヘンティにひたすらディケンズを読ませるということなんですね。

B　そうなんです。まったく同じだと思いました。

I　自分が帝国の一員として、この探検隊の一員としてはいりこんだ密林のなかで、いままで自分の資産家という地位を安泰にさせていたもの、その背後にある帝国主義の収奪の原理を、こんどは自分が体験させられるというわけですか。

B　無意識だけど、そう、どっちの主人公も。だから、読者であるわたしたちが無意識であってはいけないんだと思いますね。

司会　自分が支配の原理にしていたものを、自分がこんどは受ける立場になる。ディケンズを読むということが。

B　誤解してはいけないと思うのは、ヘンティのお人好しぶりです。Aさんの言われた言葉をわたしが言い直すようですが、それは人間の生来の徳の発露としてのお人好しではないんですよね。帝国主義によって存在を保障された人間のお人好しということなんです。その背景から見えてくるのが帝国主義そのものであるというところが怖いところですね。

司会　そういう観点からすると、この小説の恐ろしさという意味がまた変わってきますね。帝国主義に向いてくる。

B　もちろんヘンティはそういうことの意識がまったくないわけですが、ひたすらディケンズを読まされることによって、自分はここからもう出られないということを感じさせられる怖さ。

他人にはちがうように見えるんですね。

G　さっきのナチスの原理、現代の原理、そう言えば映画の『リリー・マルレーン』にも同じことを連想させる場面があったなぁ。あれは音楽でしたかね。

B　そうそう、あれは歌だったわね。しかも恋人が歌っている歌のレコードの同じ一小節だけを、独房のなかで主人公は無限に聴かせられるのよ。これも拷問のおよそ残酷な手口ですね。

司会　皮肉なことに、繰り返し聴かされる恋人の歌声が次第に意識を狂わせていくんですねぇ。

G　単純な場面だが、あれはすごいものがあった。単純な邪悪さが相手を発狂させる、じわじわと。そういうことが出来るのも人間なのだと思い知らされるようでしたね。

B　いわばそれと同じことをマクマスターが無邪気にやっているのよ。いやはや。意識してやっているわけじゃないんでしょうけど、ヘンティに苦痛を与えながら自分はその小説を楽しむことができるわけですね。登場人物の行動や感情に自分だけは没入できる。同じ場面をもう一回聴かせてくれなんてヘンティに要求してるんですものね。

司会 そう考えるとこの小説、全体としてなんだかものすごいものを追求しているんじゃないかと思われてきました。ウォーのこの系統に属するものをもっと読んでみたいものですね。

さて、そろそろ時間です。みなさん、きょうはどうもありがとうございました。(拍手)

ウォー略歴

イーヴリン・ウォー。一九〇三年、ロンドン生まれのイギリス作家。オックスフォード大学に入学するが勉学よりも放蕩三昧の生活を送り、二年後に退学する。一九二八年、ダンテ・ゲイブリエル・ロセッティの評伝と長編小説『衰亡記』を書き、二冊とも文壇で評価される。一九三二年、『黒いいたずら』、一九三四年、『一握の塵』などグロテスクかつシニカルなユーモア小説を書く。

一九三〇年、妻の不倫を機に離婚し、その後カトリックに改宗する。三八年、再婚。同じカトリック作家グレアム・グリーンとしばしばならび称され、日本では従来グリーンのほうが人気が高かったが、近年ウォーの評価が高まりつつある。

第二次大戦中はユーゴスラビアにおもむくが、入営時の面白い挿話がある。部隊に女性来たるとかんちがいした将兵が、こぞって花束を手に兵舎の入り口で出迎えたというのだ。イーヴリンとは女性名でもあり、現に離婚した最初の妻の名前がその名であった。しかも誤解は作家の死後も続き、二〇一六年二月『タイム』誌が発表した「大学で最も読まれる女性作家一〇〇人」の九七位にウォーの名が挙げられ、のち同誌は撤回した。

従軍中の兵士としては前線で果敢に戦い、パラシュート降下中に負傷し、このため長期休暇を与えられる。長編小説『ブライズヘッド再訪』はこの期間に執筆された。一九六六年、イングランドのサマセットにて没、享年六十二。

参考文献

イーヴリン・ウォー作品の主なものには次がある。長中編では『ブライスヘッド再訪』が『回想のブライズヘッド』として（岩波文庫）、『一握の塵』（彩流社）、『黒いいたずら』（白水社）、『大転落』（岩波文庫）など。

なおここでテクストとしたのは『街角の書店』（中村融編、創元推理文庫）所収の訳である。

第4章

食わずぎらいと思うな

——カフカ作『断食芸人』

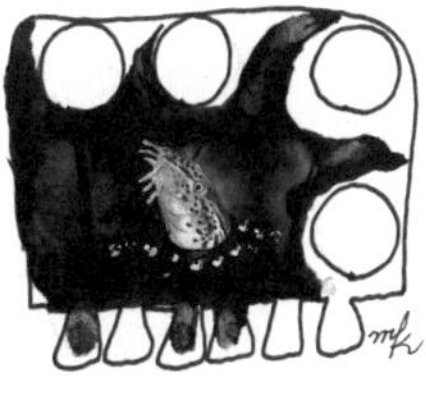

作品紹介

断食または飢餓術という芸がかつてあった。アーチストは何十日もただただ断食を続行するだけである。そういう芸人がこの物語の主人公だ。

かつては名声を博したこともあるこの芸人は、世のなかの情勢や人々の好みも変わってしまい、断食などという芸に、もはや人々が興味を示さなくなってしまったのちも、廃業してしまわない。だがむろん商売にはならない。やむを得ず芸人はあるサーカス団に加わり、動物小屋のはしっこのあたりに格子のついた檻《おり》を置いてもらってそのなかにはいる。しかしサーカスを見に来た人々でさえ断食芸に興味を示してくれない。こうして芸人の存在そのものが次第に忘れられてゆく。

サーカスの団長がある日檻を見て、こんなところになんでこんなものがあるのだと言うくらいだ。檻のなかの藁くずの山のなかから、かぼそい声で芸人が声を上げる。それが最後に団長と言葉を交わした機会だった。なぜなら間もなく芸人は息を引き取ってしまうからである。

その後、檻には精悍な一頭の豹が入れられる。豹は旺盛な生命力を発散し、人々をいやおうなしに檻の前に引きつける。

一　断食芸とはなにか

司会　二十世紀以降の作家や文学に与えたカフカの影響は、おそらく十九世紀のどんな作家とくらべても遜色ないというか、無視できない重要な意味を持つだろうと思います。ドストエフスキーやトルストイ、あるいはイギリスのディケンズ、フランスのバルザックやスタンダール、二十世紀のマルセル・プルースト、こういった大作家たちに伍して、カフカというおよそマイナーな作家が、のちの世界文学に強烈な影響を与え、現在もなお与え続けている。これはじつに驚くべきことです。

わずか四十年そこそこの生涯でしたし、しかもその作品の数はさほどたくさんではありません。にもかかわらず、その文学が持続的に広範な影響力を世界文学に対して及ぼしているという事実がある。それだけでも考察に値する問題であることは確かでありましょう。それほどまでに読者を引きつけるカフカの魅力というのはいったいどこにあるのか。きょうはそのあたりも含めてご意見を述べていただければと思います。ではまずAさんに口火を切っていただきましょう。

A（講師）　カフカはプラハ大学の法学部を出て、そして労働省の保険局に就職しました。でもかれはその保険業界のサラリーマンとして出世街道を上がっていくことに生きがいを見いだすような人間ではなかった。帰宅すると仮眠をとって、それから執筆に取りかかった。生涯に二度婚約していますが、二度とも破棄してしまいました。なぜかと言えば、執筆の時間を確保することを最優先しようと考えたからでした。

カフカをまだお読みになったことがないという方もいらっしゃるかもしれません。とすればカフカのどういう作品を取り上げてみたらいいだろうか、といちおうわたしも考えました。だいたいこれまでは、『変身』あたりを取り上げて話し合うことが多かったのです。ただ今回は、岩波文庫に『変身』と抱き合わせで収録されている『断食芸人』を選びました。

正直に申してこの作品を十分に解釈できたとか、ああなるほどと腑に落ちたということがまだいちどもない。そのためか、それでもか、なにしろときどき読み返したくなる一編なのです。なにか奥の深い、不思議な魅力が、この短編小説には湛えられています。もしかすると『変身』よりも『断食芸人』のほうが、文学的に言って数段奥が深いのではないかとさえ思えるほどです。

むろんこの『断食芸人』一作だけから、カフカ文学の魅力の秘密について、すべてを推し測ろうとするのは正しいとは言えないかもしれません。が、ともかくこれを読んで、どういうふうにお感じになったか、それをうかがいたいと思うのです。

司会　いろいろな読み方ができる作品なので、みなさんの感想なりご意見なりをうかがうのを楽しみにしています。Bさん、いかがでしょう。

B（二十代男性）　現実にこんな芸が存在していた時代があったんでしょうか。まるきり馴染みがないので、てっきりこれは作者の空想じゃないだろうかとぼくは思いました。

それはとにかく、だれからも理解されないという思いに駆られることが、だれにだってあると思うんですよね。真剣に相手をしてくれる者がいないという寂しさはぼくも知っているし、みなさんも経験されたことがあると思うんです。二回目読んだとき、だれからも理解されないこの断食芸人に対して、ぼくは他人事とは思えないような共感をいだきました。

C（三十代男性）　いま発言された人は学生さんですか。わたしのようにふつうのサラリーマンとか、これしか職業を探しようがなかった人間と重ねた場合はどうなんだろう。わたしの場合、一つの檻《おり》という、自分で勝手に決めた限界のなかに押し込められた自分というものがイメージされるわけです。それがこの断食芸人の姿と重なってくるんですよね。

われわれはだれしもどこかで限界を感じている。その意味では檻のなかにはいっている。その見えない檻のなかで、自分が信じたことをなにかやってみる。けれどもその努力はだれにも理解されない。努力をいちばんよく分かっているのは自分だけなんです。おれは与えられた仕事を一所懸命やったぞということを自分では知っている。しかし主人公と同じように報われることはない。そのままになってしまう。哀しいがその哀しみというものは、われわれの周囲のたいがいのサラリーマンが抱えているんじゃないでしょうか。そういう現代の仕事人間の哀しい姿というものを、断食芸人に即して作者は描いているのではないでしょうか。

D（六十代女性） 小説のどこかに、自分に合った食べ物を見つけることができなかったが、もし見つけていればこんな見世物をすることもなく、みなさんと同じようにたらふく食べていたでしょう、とありますよね。でもこの人が食べたかったのは、食べ物一般のことではないようですね。とすると、ほんとうはなんだったのかしら。

「文学世界の空騒ぎとは遠いところで、地道な生活の傍らひっそりと発表のあてもない小説を書きつづけていたカフカである」と解説にはありました。わたしの解釈もこれと重なってくるんですよね。

E（五十代女性） 断食芸人または飢餓術師にとっては、飢餓の行為を続けることが生き甲斐なわけでしょう。そうであれば、それを途中で中断させられるということは当然苦痛でないわけがないですよね。飢餓を続けるところを人々に見てもらい、感心してもらいたかったのでしょう。それを中断させられて、ふたたび望みどおり芸を続けられるようになるのは、人々に忘れられて関心を持たれなくなってからですね。そのときに初めて自分の思いどおりの芸ができるようになった。考えると皮肉な話だなぁと思います。

F（四十代女性）　わたしはここまでこだわり続ける断食芸人のこだわり方がすごいなあと思ったんです。この芸人は、自分として完璧なかたちの芸をやりとおすことだけを生きがいにして生きてきた。そこに自分の人生を賭けている。ほかの人がどう言おうと、自分で自分が納得できない芸というのは、自分としては認められない。そういうきびしさがあると思うんです。

司会　芸として見せるためにわざわざ断食する。いましがた「そんな芸があるんですか」という声もありましたけれども。（笑い）

A　ヨーロッパに飢餓術という芸が実際あったんです。この芸が流行した時代は現代とちがい、飢えは人々にとって切実な問題でした。

たとえばクヌート・ハムスンというカフカより少し前の北欧の作家に、ずばり『飢え』という小説があります。あれなど読むと、二十世紀にはいっても依然として飢えがいかにリアルな、生活上だけでなく存在論的な問題であったかが分かります。

きっとカフカの主人公も、人々にとって飢えが経験上切実な恐怖のリアリティを持っていた十九世紀までの時代の雰囲気を生きている芸人だったにちがいありません。芸として飢えを演じて見せることによって、逆に飢えの恐怖を対象化するのにひと役買っていた時代に属する芸人だったのではないかとも思われるのです。

司会　なるほど、そうなんですか。

A　とは言っても、カフカのほかの作についても言えると同じように、断食ということはフィクションとしてここでは設定されているわけですね。しかもなにか仕掛けのある謎解きの物語というものではない。なにかキーワードに類するようなものがあるのかと思って読んでも、そういうものはありそうにない。そのくせ、どうしても注意をそそられずにはいない言葉や場面がいたるところに散りばめられているのです。

たとえば、最後に豹がなんで出てきたのだろう、と考え出すと断食芸人の見世物としての芸と、同じく見世物としての豹との対照が、非常に鮮やかな対をなすかのように思われます。それはまるでマイナスとプラスの関係のようでもあります。しかし豹は野生の猛獣だし、断食芸人はれっきとした人間ですよね。そうすると、野生の動物の持っているプライドと、人間である芸人の持っているプライドと、果たしてこれらをプラス・マイナスというかたちで比較できるものだろうか……。

フィクションとして書かれているのだから、そこのところを比較することによって、作品への理解が深くなるのではなかろうかとわれわれは考える。ところがそんなふうに考えてゆくと、比較になりそうでじつはけっしてそうではないということが分かってきます。解釈のある基準というか、理解していくうえでの自分のなかの概念を、この作品がけっしてお手軽には読者の手に入れさせないということが分かってきます。

司会　それはカフカのどの作品にも通じる顕著な特徴と言えますね。

A　そうですね。このプラスとマイナスという対照的な関係を、山登りと洞窟探検つまりケイヴィングにたとえて考えることもできるかもしれません。山登りというのはスポーツであると同時にスペクタクルでもあるわけですね。地表に突き出てそびえ立つ山に向かって登って行く登山家を、ふもとのホテルのバルコニーや高台から、高性能の双眼鏡とか望遠鏡でもって見守る。しかも各国から大勢のジャーナリストも集まってきて、ずうっと眺め上げるわけです。

ところがケイヴィングというのは、スポーツではあるが見世物スペクタクルとしては成り立ちにくい。洞窟にもぐって行くのでだれにも見ることができない。この二つのスポーツについてみごとな対比をおこなってみせているのはトレヴェニアンという作家です。『シブミ』といういっぷう変わった冒険小説にそれが書かれていますね。

単独行であろうとなかろうと、とにかく山へ登るという情熱、その情熱にもとづいたスポーツの形態は、スペクタキュラーな観戦スポーツでもあり得る。ところがケイヴィングというのは、地中奥深くずうっとはいってゆく。これは内側へはいってゆくわけですから外向的ではなく、内向的というかな……。

C　陰陽説では地表に盛り上がった山を「陽」と称し、洞穴を「陰」と称する考え方がありますね。陰つまりマイナスの方向性・内向性ですね。もしもそれが芸として成立するのであれば、見物人も芸人と同じことをしなくてはなりません。いまのようにビデオに撮って記録する時代になれば別ですが、見物するということがそもそも不可能であるような芸だった。要するにそれは本来芸として成り立ちようのない芸であったわけでしょう。

F　それでわたしもこの作品が少し分かってきたような気がします。カフカは日常外面的には保健局かどこか役所に勤めていても、内面的なところではアウトサイダーとして生きるほかなかった人なのでしょう。自分が書いた小説がだれにも読まれなくてもいいというふうに装っていたかもしれませんが、じつは本心を隠していただけだったのではないでしょうか。ほんとうは自分の心を伝えるために書いたけれども、周りの人には分からないと分かっていたからこそ、カフカは書いたものを世間の目から隠そうとしたのかもしれませんね。

G（二十代女性）　断食は自分自身とのたたかいですが、よく考えてみると、自分のなかにも孤独な断食芸人のようなところがあるんですね。断食は見世物であるだけではなく、自分とのたたかいでもあるわけです。人々が自分の前を無関心に通り過ぎてゆくだけでは、いくら自分とたたかって自分が満足すればいいと思っても、内心はやはり穏やかでないものがあると思います。

つまり、芸を高めることは自分自身とのたたかいですけれども、それを人に見てもらうことによって満足が得られる自分がいることに気づかざるを得ない。だから、自分で自分をどう評価するかという問題と、他人が自分をどう評価するかという問題と、その葛藤がこの物語に書かれているのではないでしょうか。

二　カフカ伝説

H（五十代男性）　訳者のこういう解説があるんですよね。「カフカ伝説」といったものがある。文学世界の空騒ぎとは遠いところで、地道な生活のかたわら、ひっそりと、発表のあてのない小説を書きつづけていたカフカである。世の名声を願わず、つねに謙虚で、死が近づいたとき友人ブロートに、草稿や断片を含め作品いっさいの焼却を依頼した。すでに刊行したものも、むしろ読まれないほうがよかったと言った。「悪夢を書き散らしただけ」なのだから——というのを「カフカ伝説」と呼んでいるらしいですね。

これまではぼくもこのイメージで読んできたと思うんですね。ところが訳者の解釈によれば、カフカはじつは名声を求めていたといった感じで、ブロートに焼却を依頼したんだけど、じつは焼却しないだろうと当てこんでいたんじゃないかと、まるで死に臨んでカフカが策略を弄したみたいに書いてある。ここのところにぼくは引っかかったんですがうまく整理がつかないでいるんです。

司会　その点、Aさんのご意見はどうでしょうか。

Ａ　解説を書いたその人の言っていることは、かならずしも的外れではないでしょう。けれどもカフカを見るときのまなざしが、その人自身を映し出している。たとえば、いっぽうに長谷川四郎の訳がありますね。片鱗とはいえ長谷川さんの価値観や思想の全力がどういうものであるかをうかがわせるものがその解説に現われている。つまりカフカと長谷川さんとが対等に対話をしている。その意味での対話の性格が日本語の表現として長谷川訳に現われている。

そういう観点からすると、さまざまな訳者をとおして現われてくるカフカというのは、その訳者自身を映し出すものでもあるということになる。そういうカフカ像に対して、おれはちょっとちがうという言い方はできる。わたしがこの『飢餓術師』もしくは『断食芸人』を取り上げたいと考えたのは、なんど読んでも分からないと申し上げたさっきの発言と矛盾するようですが、カフカに対するわたしのイメージを集約した作品が、この短編小説であるという言い方も同時にできるからなのです。その意味では選択したわたしの個人的な解釈がすでにその選択のなかにあるわけです。つまり、作家としてのカフカがここに集約されていると考えると同時に、文学ないし芸術を志す人々は、どうしてもこの断食芸人のような部分を持たなくてはならない、と考えるわたしがこの作品を選んだということでもあります。

言われるように「カフカ伝説」というのがあるわけですね。わたし自身も学生時代から「カフカ伝説」に沿って読んできた一人と言っていい。だが、カフカに物書きとして世に出たいという野心があったということも事実でしょう。しかし、その野心を通俗と決めつけるのはどうでしょうか。

たとえば自分がものを書くとき、自己満足のために書いているのか、それともだれかに読んでもらいたいと思って書いているのか。広い世のなかのだれかがかならず理解してくれるんじゃないか。そのだれかの数は一人よりは十人のほうがいい。十人よりは百人のほうがもっといい。百人より一万人のほうがもっともっといい。

ポール・ヴァレリーというフランスの詩人・批評家が、かつてこういう質問を受けたことがあるんです。「あなたは自分の詩集を十人のすぐれた読者に読んでほしいか、それとも凡庸な一万人の読者に読んでほしいか」と。詩人は即座にこう応えたんですね。「一万人のすぐれた読者に読んでほしい」と。それこそがほんものの詩人であり、ほんものの芸術家の答え方だとわたしは思うんです。

B　カフカは書くことに情熱を持った。書くことに魂を打ち込もうとした。そこにいわば自分の生きていることの証《あかし》を立てたいと思った。そして事実手ごたえを感じていたのではないでしょうか。

A　そうですね。カフカのものを読んでいると、内容や筋立てがどんなに荒唐無稽なものであっても、たとえば『変身』のようなものであっても、いずれもそれらは苦しいまでの自己表現の作品であるということが分かりますね。しかしその表現は、実際にはユーモラスなところも持っているわけです。つまり深刻ぶっていない。悲劇を書こうなんて作者は思っていない。だから『審判』でも、『城』でも、いっぽうから見たら不条理で荒唐無稽な、現代の出口なしの極限状況が描かれていて、現代の高度管理社会に生きている人間はみな出口なしのいわばモルモットのような、こういう生活を自分たちも強いられているんだということに思いあたる。そうするといきおい息苦しさを感じざるを得ないですよね。でもその息苦しさを別の観点から見れば、じつに滑稽至極であると言わないわけにはいかないことも事実なのです。

G　滑稽さと深刻さと、その両方を同時に引き受けさせられているのがわれわれの時代なんだ、ということに読者は気がつかないわけにいかないですね。

C　これがもしも古代ギリシア悲劇だったら、神とたたかう、運命とたたかう、状況とたたかう。その切実さがわれわれに感動と崇高さの感覚を与える。でも現代作家であるカフカの小説を読んで、そういう古代的な意味での感動や崇高を直接受け取ることはできないですよね。時代が大きくちがうので当然といえば当然かもしれませんが。

A　おっしゃるとおりだと思います。現代という社会が、古代的な意味での悲劇の可能性をすべて排除してしまうようなそういう社会に変質してしまっていますからね。だから宿命もなければ運命もない。神もない。あるのはただ、目にはさだかに見えない壁のようなものだけです。なにをやっても同じというような、空《くう》をつかむ空虚感だけになっている。

いや、会社の部長になって、常務になって、専務になって、社長になって、とうとう天下取りだ、などというような世界に生きている人々や、その世界だけを見ているような人間ならば、むろん出口なしなどとは思わないでしょう。仕事こそ生きがいとそういう人たちは言うでしょう。だがその場合の仕事とは、カフカが生きがいにしたような仕事と同じではない。

三　飢餓への衝動

A　カフカが生きがいとした仕事は、書くことにほかならなかった。長谷川四郎も解説に、「彼は書かずにおれなかった」と書いてますね。ついで日記が引用されています。「仕事で救われなければ僕は失われる。」

C　なるほど、するとその仕事というのは生業ではない。保険局の仕事じゃないわけだ。あくまで、書くという仕事ですね。つまり必然的な仕事として自分でつかんだ仕事ですね。それはまさしく断食芸人の芸と同じだったわけですね。

A　ええ、そうだと思います。「もし他にやり甲斐のあることがあれば、私も書かずにすんだろうし、書かなかった。でも他に仕方がなかった」と作者が日ごろ考えていただろうということもわれわれは想起しなくてはなりません。

才能があると言われ、センスがあると言われる作家たちの書いたもので、われわれにほんとうに手ごたえを感じさせるような作品があるとすれば、それは右のような切実さに裏付けられている作品にかぎると言ってもいいでしょう。『断食芸人』のなかで言われていることは、作者自身の言葉でもあるのではないかとわたしには思われるのです。もう一つ例を挙げると、かなり初めのほうで次のように言っていますね。

「こころみに誰かをつかまえて、この断食という芸を説明してみるがいい！　感じとることのできない人間には、わからせようとしても無理というものだ。」

司会　そこは長谷川四郎の訳でみると、「……本能的にわからない人間にはわからないのだ」と訳してありますね。

A　長谷川訳も簡潔でいいですね。とにかくこういう一行に突き当たると、わたしなどは深く胸を打たれないわけにはいきません。

しかし、本能的に感じ取ることができないというのはどういうことでしょう。自分自身に飢渇・飢餓衝動がなければもともとそれは感じ取ることができないものでしょう。飢えたことのない人間に飢えとはなにかをおしえることはできない。同様に自分が断食芸人でなかったら、あるいはその素質がない人には、もとより断食芸は理解できないし、また理解する必要もない。せいぜい見世物としておもしろがるだけでいいわけですね。腕に触らせてもらうとか、あるいは四十日満願かなった日におっかなびっくり芸人の両脇を支える役を買って出るとか、ざっとそういうことがその人の好奇心を満たすならばそれでいい。ちょうど、自分は初版本を持っているとか、古本屋で稀覯《きこう》本を買って来たとか、それをみせびらかすとか、まあ、しょせんそんなレベルのことですよね。

すなわち、われわれが芸ないし芸術を必要とするかどうかは、われわれに飢餓感があるかないかによって決まる。精神的な意味でも、ほんとうに飢餓のなかにいる人間は、すぐれた作品を要求するものでしょう。すぐれた作家は自分が断食芸人だからものを書き続ける。しかしほかに自分の生の充足が得られ、生きているという証が立てられるなら、なにも無理してそんなことはしないだろう。カフカという人もまたそうだったはずです。

かれは生涯作品を発表できなくてもいいと思ったわけではけっしてない。書くものをなるだけ多くの人に読んでほしいと思っていたでしょう。でもベストセラーを書きたいなどと思ったわけではない。初めっからベストセラーなんてことは考えてもいない。自分の納得のゆくものを、納得のゆく本能を持ったおおぜいの読者に読んでもらいたい。その読者がもしも百万人いたら、書いた甲斐があったと思うに決まっている。そういう願望をいだくことは野心にはちがいない。けれども、その野心を持つことが、カフカが俗物であることを証明するものとはかぎらないわけです。

ある訳者のカフカ理解がわけ知りの通俗的理解にすぎないのじゃないか、とHさんが思われたとすればこういうことでしょう。いっぽうに「カフカ伝説」というものがあるのは確かだ。聖なる作家、売れずにこつこつ書いて無名のまま終わってしまって、死ぬ間際に親友に向かっておれの原稿を焼却してくれと言ったというようなカフカ・イメージですね。だがそれはウソなんだ、とその訳者は言うわけですね。わたしもそう思います。しかしウソという意味は、この場合こういうことなんですね。

野心を持つということと、書きたいものだけを書く、無名のままでいいということとを、その訳者はなにか対立したもののように考えているのでしょう。その対立するととらえ方そのものにその人の通俗性が現われているのです。すぐれた作家、すぐれた芸術家に野心があることはもちろん認める。しかし野心を持てばこそ、野心のその通俗性を刺し貫くような飢餓というものがある。『断食芸人』では、物語の最後にそういうなにか貫くようなものの存在が暗示されている。その意味でさっきもDさんから引用がありましたが、芸人が口にした次の最期の言葉は重要な意味を持つと思います。

「美味いと思う食べ物が見つからなかったからなんだ。見つかってさえいればな、世間の注目なんぞ浴びることなく、あんたやみんなみたいに、腹いっぱい食べて暮らしていただろうと思うけどね。」

最期に臨んで次第に光を失ってゆく瞳に浮かんでいたのは、もはや誇らしげでこそなけれ、まだ断食を続けられるぞという強固な確信だったのではないか。とすれば、その確信がどこから来るかをわれわれは考えなくてはいけない。それがカフカ自身の確信につながるものにちがいないとわたしには思われるからです。

H　話を冒頭に戻して恐縮ですが、カフカが死ぬ前に友人マックス・ブロートに原稿の焼却をたのんだことについてもういちどうかがいたいのです。たとえばボルヘスは、もしその依頼が本心だったら自分で焼いたはずだと述べていますね。

Ａ　ボルヘスの言にしてはちょっと平凡ですね。わたしはカフカはなかば本気だったと思うのです。焼かれてもかまわないとかなり本気で思っていたのじゃないか。少なくとも、ブロートが自分の原稿を焼くはずがない、とカフカが確信していたとまでは思いません。むしろ自分の書いたもの、これまで書いたもの、原稿の状態にあるもの、これ以上のものを自分はこれから書きたいと思っていたということです。

司会　では、カフカはブロートの親友としての、批評家としての、理解力を信頼したのだと思いますか。

Ａ　そう言ってもいいと思いますね。わたしは以前カフカの遺言をそのまま文字どおりに受け取っていたのです。だから、ひどい遺言をすると思っていたんです。かわいそうなのはむしろ原稿を託されたブロートのほうじゃないかと。だって死んでゆく友人の原稿をあずけられて、それでそのままあっさりと焼けませんよね。だからとにかくブロートは読んでみた。そしたらとてもおもしろかった。これはすごいぞと思ったわけです。だから友人の遺言を裏切ってそれを本にして出した。

H　カフカはブロートをそこまで信頼したということなんですね。

A　ええ。つまり第一読者として信頼した。ブロートが読んで駄目なものなら駄目なわけですからね。

そういう意味では、文学という事業において、ブロートは死んでゆく友人からとても大きな友情を託されたとも言えるわけです。死んだ友人の信頼に応える道を、友人を裏切ることによって見いだしたのです。

H　裏切ることがじつは信頼に応える道になることもあるということですか。

A　文学の道はときに常識を超えた不可思議な逆説的様相を呈することもありますからね。

司会　案の定、全世界の人々がそれを読んで驚嘆したわけです。そう考えると文学というのは、本人にとっても、周囲にとっても、じつにむごい事業であると言わざるを得ない。

A　おれは足を踏み入れないようにしよう、と当時は思いましたね、もともと才能もないのに。（笑い）

四　文学運動としての文学サークルの意義

A　しかし、カフカを生んだのは才能だけではないかもしれません。ブロートとはきのうきょうの付き合いじゃないわけです。職業の場以外の文学サークルのなかで、カフカにとってはほんとうに心をゆるせるような、といっても緊張を伴いつつ対話ができるような、そういう文学のサークルがあった。それはやはり一つの文学運動だったと思うのです。そこのところを見ないといけないですね。

カフカという個人が突然変異のように現われて、それでブロートが本を出したというふうに考えたらまちがう。少数だったかもしれないが、ブロートをふくむカフカの理解者たちが何人かいて、これが一つの文学運動をなしていた。だから文学運動からカフカ文学の特異性が二十世紀的特徴を帯びて現われたのであって、二十世紀固有の特異性がこの文学サークルにはあった。それがチェコのプラハの特殊な環境だった。そこから出てくる知的可能性が、二十世紀という時代をイメージのうえで先取りしていた。これは、断食芸人が断食芸人として成立するかどうかということが、やっぱり運動としてその芸が支持されるかどうかにかかっていたのと同じことではないでしょうか。

カフカは作品を書くと、仲間のサークルへ持って行って朗読したと言います。かれの朗読はなかなか上手だったらしい。このことは過小評価されていいことではないですね。近代小説は黙読の時代を迎えて、大量生産でもって、書くのも読むのも完全に孤独な作業になってしまった。ところがカフカの属していた文学サークルでは、朗読することをつうじて一つの演劇的な空間が存在したわけです。文学的な世界を共有できるような、そういう相互性がかれらのあいだにあった。そのことの意味をしかと考えることが、こんにちいよいよ重要なことであって、日本のカフカ理解の歴史では、そこがとかく見落とされる傾向があったのではないかと思うのですね。

要するに、原初的な語り部の世界がそこにあったと考えてもいい。この文学サークルというのは、もしカフカが無名のまま死ぬ運命にあったとしても、カフカの四十年の生涯で、やっぱり大きな励みだったろうし、創作の原動力になり得ただろうと思います。だって、荒唐無稽な話をカフカが朗読して聞かせたとき、みんなが固唾《かたず》を呑んでそれに耳を傾けたんですよ。近代以前には、昔話や民話のファンタスティックな荒唐無稽さに目を輝かせて、耳をそばだてて人々が聴いていた時代があったわけでしょう。それが二十世紀の管理社会のなかでもあり得たわけです。そのことの文化的意味を軽視することはできません。

なぜならそういう伝統というか習慣に着目することが、いわゆる「カフカ伝説」からわれわれが抜け出る一つの方途でもあると思われるからです。そこをすっとばして野心をうんぬんするのは、問題を取りちがえている。カフカの野心は、文学が本来の文学の力を持つ、そういう空間をかれが共有し、手に持っていたことにおいて満たされていたと考えるべきではないでしょうか。そしてそういう意味では、物語を書く人間としてカフカはかなり幸福な人だったとも言えるでしょう。

すべての文学がそうだというわけではありませんが、二十世紀以降になってこれだけばらばらの個人主義的な時代になっても、すぐれた文学というものは、フランスでもイギリスでもドイツでもチェコでも、文学運動や文学サークルのなかから生まれています。たとえばイギリス文学の場合だったら、二十世紀にはいって間もなく、第一次大戦前後ぐらいからブルームズベリー・グループというのがありました。ヴァージニア・ウルフとか、経済学者のケインズとか、分野のちがうこういった人たちが集まってさかんに議論をたたかわせた。文学者であっても、文学の話ばかりしていたわけではない。経済の話、政治の話、美術の話、それからなによりも迫り来るファシズムの危機、社会主義の可能性と負の面、こういったことをみんなが熱心に腹蔵なく語り合っていた。
事実、どんな近代の文学の傑作でも、その背景とか土台をなすものは、多数化された視点や問題意識が交錯する場であったはずです。少なくとも友人の作家や批評家や編集者との対話、そういう複数の視点に照らし出されながら、作品はおのずから時代の深部を照らすような批評性をはらんだ。同時に、作家の想像力に具体的な現実との関わりや現実への足がかりといったものがそなわった。一見荒唐無稽と見えるカフカの文学もまた、そういう雰囲気のなかからリアリズムの感覚が立ち上がってきたと考えてもよいと思います。

司会 そろそろ時間が来てしまいました。みなさん、ありがとうございました。(拍手)

カフカ略歴
フランツ・カフカ。一八八三年、チェコスロヴァキアの首都プラハに生まれる。プラハ大学法学部在学中に終生の友人と出会う。のち作家・批評家となるマックス・ブロートである。
肺結核のためカフカは四十歳で亡くなるが、死に際して遺言として「原稿はすべて読まずに焼いてくれ」とブロートに手紙で告げた。だが、法学部出身にもかかわらずその遺言が法律上の首尾を整えたものでなかったことから、ブロートは託された原稿を読んでしまった。友から託された遺稿はなみはずれた現代的価値を持つものだった。熟慮の末、友との約束よりも批評家の鑑識眼を優先し、原稿を整理編集して出版した。ブロートの「違約」はさもあらばあれ、のちの世界はブロートの英断によって、カフカという特異な作家を知ることになる。

カフカは自作出版に熱心ではなく、生前に発表された短編集も友人たちの勧めによるものだったという。本書第四章の対話は『断食芸人』（長谷川四郎訳では『飢餓術師』）をめぐるものであるが、この短編はカフカ生前最後の出版になる短編集のタイトルともなっており、作者が校正刷りを読んだのは死ぬ数週間前のことだったと言われる。

カフカの短編作品のなかで最も人に知られているのはおそらく『変身』だろうが、その訳者である高橋義孝はあとがきでカフカを表現主義の詩人と位置づけ、次のように述べた。

「一九一八年、第一次世界戦争が終った。ヨーロッパの文明世界、ことにドイツの精神的世界にみなぎりわたった危機・破局の意識は、文学史の上ではいわゆる表現主義の運動に結晶した。表現主義の詩人たちの目には、人生は専ら、危険な、不安定な、興奮に充ち満ちた、恐怖すべき、残酷な、嘔吐を催させる、暗鬱な、疑惑に満ちた、矛盾だらけの、分裂した、苦悩多きものとして映じた。彼らはこのような人生を精神・魂・心・愛、つまり人間のいわゆる主体的なものの過度の緊張によって繫縛《けいばく》しようとした。そして、絶叫、忘我、反抗、拒絶、断念、新しきものの待望などが彼らの対決方式であった。詩、戯曲、小説などあらゆる文学形式がこの『主観主義的』戦闘に駆り出された。」（新潮文庫による）

大学一年生の時分にわたしは初めて高橋訳で『変身』を読み、物語の醒めた奇矯《ききょう》さもさることながら、あとがきのこの文言に接し、いささか面食らったことを覚えている。だが面食らったまま次に岩波文庫の山下肇訳で同作品を再読するとともに同時収録の『断食芸人』を読んで、こんどは面食らわされる以上にあっけにとられた。そこに語られているのはまったく読者の意表を突くような話であった。それだけに、なにか奇妙奇天烈《きみょうきてれつ》な、それでいて人を無我夢中にさせるような、得体のしれない魅力を秘めていた。

第一次大戦後の表現主義運動が勃興した時代と、第二次大戦後の時代、とくにカミュやサルトルの文学が日本の戦後文学に深甚な影響を及ぼした時代との対比や平行関係に関心を深めるにつれて、カフカの小説や散文は、大学生だった自分の内部にいよいよ深く食い込んでくるような気がした。冷戦さなかの世界は核の傘のもとにありながら、日本社会は高度経済成長期の高揚のなかでわれを忘れていた。市民大多数の思惑と乖離して、学生だけがかろうじて世界的スチューデントパワーのうねりの一部をなしていた。というわけで、時代そのものがまことに奇妙奇天烈な様相を呈しつつあったのである。実際「絶叫、忘我、反抗、拒絶、断念、新しきものの待望など」がこの国の二十代世代のなかには渦巻いていたといって過言ではなかった。

だが、その渦のなかからカフカよりもカフカ的な「表現主義」の文学運動は、ついに日本には起こらなかった。

一九二四年、ウィーン郊外のサナトリウムにてカフカは没する。享年四十。それから約一世紀。依然としてカフカは市民社会の謎であり続け、こんにちにいたる。

参考文献

本作品、『断食芸人』は山下肇訳（岩波文庫）、『飢餓術師』は長谷川四郎訳（福武文庫）で読めるし、いずれもすぐれた訳として推奨されるものであるが、カフカの訳書はほかにも各種文庫版、全集版や作品集など種類は多い。

第5章

断崖絶壁の二人だが

――チェーホフ作『犬を連れた奥さん』

作品紹介

ヤルタが物語の舞台である。黒海に面したクリミア半島の海辺の保養地だ。モスクワから避暑にやってきて滞在中の主人公グーロフは退屈しかけていた。かれの前にある日、若い婦人が姿を現わした。人妻と見えるその若い女は、海岸通りをいつも一人で散歩するのが常であった。小さな犬を連れていた。

グーロフは犬をダシにして巧みに言い寄った。女性経験も豊富だったからあっというまにねんごろになった。夫人はアンナと言った。口説き落とすのは造作もなかったが、相手はちがった。グーロフと深い仲になった自らを恥じ、自らを卑下するのだった。自分はほんとうは清い、正しい生活を望んでいた。生きて生きて生き抜きたいと願っていた。それがこんなふしだらな卑しい女になりさがってしまったと言った。とめどない愁嘆にグーロフは辟易《へきえき》させられたが、半面、これまで付き合った他の女性にはないいじらしさがアンナに感じられてならないのだった。なだめすかして、やっと相手の元気を取り戻させると、気分を変えるため、朝まだきのドライヴに誘った。二人は馬車でオレアンダの断崖へ出かけた。

断崖から見わたす早朝の黒海は眺望も格別であった。かたわらのアンナが明け方の光のなかでこのうえなく美しく見えた。二人はベンチに腰掛け、物思いにふけった。

近くの木にとまった蝉が鳴いていた。山々のいただきには白い雲がかかり、じっと動かない。断崖の下から海の単調なざわめきが這い上がってきた。その響きに耳をかたむけながら、グーロフは考えるのだった。

あの波のざわめきはまだ人類が現われるはるか以前からすでに続いていたのだ。そして人類が消えた後もずっと続いてゆくのだろう。いまもむかしも変わらぬ波のざわめき、人間の生き死にはまったく無関心なその響き。もしかしたらそのなかにこそ、永遠の救いのしるし、地上の生活の絶え間ない推移のしるし、完成に向かう不断の歩みのしるしが、隠れているのかもしれない。

その日から毎日、二人は海岸通りで落ち合った。やがてアンナの夫から手紙が来て、妻は呼び戻された。

列車が発車するまぎわ、アンナは言った。わたしが行ってしまうのはいいことですわ、これが運命なのです。でもあなたをけっして忘れることはありません。

列車で去ってゆくアンナを見送ったグーロフは、まるでたったいま目が覚めたような気持ちがした。自分の生涯にはなにやかやいろいろなことがあった。だが、いまとなってみればことごとく思い出だけだ。アンナとのこともきっとそうなのだろう。そう考えると、物寂しさと軽い悔恨を感じないではいられなかった。

列車が去ったあとの駅は冷え冷えと静まり返り、秋の気配が立ち込めていた。おれもそろそろ北へ帰っていいころだ、とグーロフは思った。

ところがモスクワに帰ってみると、なにもかもがまんのならないほど陳腐で、くだらなく見えて仕方がなくなった。妻も、職場も、友人らも。脳裡を占めるのはアンナのことばかりだった。すぐに忘れてしまえるものと高をくっていたがちがった。思い出は次第にはっきりとしたかたちを取るようになり、純然たる思い出と空想とが、つまり過去と未来とが、想像のなかで交じり合った。

とうとう十二月のある日、出張で数日家を留守にするとグーロフは妻に告げて、アンナの住む町へ出かけて行った。

一　生きて、生きて、生き抜きたい

司会　ロシアの作家チェーホフの有名な短編小説『犬を連れた奥さん』を今回は取り上げるわけですが、初めにAさんからこの物語の要約を交えて、少しまとまった感想を述べていただきましょうか。

A（五十代女性）　わたしがチェーホフを初めて読んだのはずいぶん前になります。当時は短編一つだけでした。それが『犬を連れた奥さん』だったのです。こんど何冊かチェーホフの短編集を読んでみましたが、ほんとうにすごい作家だなあと改めて思いました。

わたしがこの作品からいちばん強く感じたのは、アンナの「生きて生きて生き抜きたい」というその気持ちでした。アンナの心にとても惹かれるものがあったのです。

アンナはお金には不自由しないけれども、ほんとうのところは心の自由というものを許されていない。まるで籠のなかの小鳥みたいな生き方をしている女性ですよね。

つまらない夫との単調な生活。そこからなんとか抜け出して自分らしく生きたいという思いに駆られている。口実を設けてヤルタというクリミア半島の有名な保養地にやってきた。純粋で、自分は清くて正しい生活が好きなのだと本気で考えている。それなのに、この地でグーロフという中年紳士と不倫の関係に陥ってしまいます。そのときの彼女は、なんていうことをしてしまったのかと自分でも嘆いていますし、こんなことをしてしまった自分はまず相手のグーロフに軽蔑されてしまうにちがいない、と思いこんでいる。清く生きることを理想としているアンナにとって、グーロフと不倫の関係を続けるのはまちがっていると思って、もう二度と会うまいとかたく心に決めてヤルタを去って行きますね。

でもわたし、グーロフと出会ったことによってなおいっそう夫がつまらなく感じられると思うんです。それでも、アンナはグーロフとのことを忘れよう忘れようと一生懸命がんばったと思うんです。

グーロフのほうにしても、アンナという女性が、自分がいままで出会ってきた女性とはどこかまったくちがっているという印象がついて回る。かれの奥さんは確かに知的な女性で、すごい読書家でもあるんだけれども、その奥さんのことをグーロフはあさはかで了見の狭い野暮な女だと思っている。それでなかなか家にいつかない。あちらこちらで浮気をして遊んでいる。けれども、その女たちもまたつまらない人たちばかりです。それで、女なんて低級なもんですよと日ごろ友人たちに向かって言っている。

けれども、グーロフは心の奥底では高尚なものを求めていたんじゃないでしょうか。たまたまいままでそういう出会いがなかった。ほんとうはかれは女ったらしにすぎない男なのではなくて、心のどこかで理想の女性を求めていたと思う。

　でも、アンナのほうはちがうんですよね。不倫の関係を結んでも、どこかまだういういしくて、清く純粋なものを失ってはいない。男との関係ができた人妻ならば、ふつうもっとずうずうしくなっちゃうのじゃないかと思いますけれども、彼女はそんなところが全然ない。だからグーロフのほうでもアンナのことがいっそう忘れられなくなってしまって、とうとうアンナの住んでいる町に出かけて行ってしまう。そして見当をつけて劇場に出向きますね。案のじょうそこで二人は再会を果たします。

　アンナはなんとかしてグーロフを忘れようと思っていた。けれども、思いもかけずかれに会ったとたん、もう二人の関係を断ち切ろうという気持ちが吹き飛んでしまう。そうして、自分が住んでいる小さな町ではいかにも人目につくので、自分からグーロフに会うためにモスクワに出かけて行くようになる。

　そこから新たに始まった二人の関係は、それをこのさき続けて行くということは、罪を背負って生きる生き方になるわけです。けれどもアンナにしてみれば、いままではほんとうに自分の意志というものがなかった。自分が生きていると言える生き方ではなかった。ですから、いま、これから自分は罪を背負って生きて行かなくてはならないということを自覚したことによって、初めて彼女はその罪ある生き方を自分の意志で選んだのです。

どうしてそういう矛盾を選んだのか。その矛盾が、彼女にとっては、自分が切望してやまなかった「生きて生きて生き抜く」という生き方のほんとうの実感を意味したからではないか。そんなふうに思いながら、わたしはこの物語を読みました。

司会　物語のなかでいちばん印象に残ったところがとくにありますか。

A　小説の場面もそうですが、映画化された場面でも、朝早く二人が馬車をたのんで黒海を見下ろすオレアンダの丘に出かけるくだりがありますね。あそこで眼下の海を見ながら二人がベンチに座っている。最初ずっとグーロフは黙ったままでいるんですよね。二人がそのとき見ている風景がとてもすばらしい。朝の光の感じ、雲のゆっくりした動き、波が寄せては返す水面をはるかに遠望するところ、二人から少し離れたところで天を仰いでいる御者の敬虔な姿など、なんとも言えずいいですね。あそこの場面は映画のほうが原作よりももっと神秘的な感じがするくらいです。

岩波文庫の二一ページですけれども、そこにはこんなふうに書かれています。

「はるか下の方から聞えてくる海の単調な鈍いざわめきが、われわれ人間の行手に待ち受けている安息、永遠の眠りを物語るのだった。はるか下のそのざわめきは、まだここにヤールタもオレアンダも無かった昔にも鳴り、今も鳴り、そしてわれわれの亡いあとにも、やはり同じく無関心な鈍いざわめきを続けるのであろう。そしてこの今も昔も変らぬ響《ひびき》、われわれ誰彼の生き死にはなんの関心もないような響の中に、ひょっとしたらわれわれの永遠の救いのしるし、地上の生活の絶え間ない推移のしるし、完成への不断の歩みのしるしが、ひそみ隠れているのかも知れない。」

わたしはここに深く感銘を受けるんです。それからこういうふうに続きますね。

「グーロフはこんなことを心に思うのだった。よくよく考えてみれば、究極のところこの世の一切はなんと美しいのだろう。人生の高尚な目的や、わが身の人間としての品位を忘れて、われわれが自分で考えたり、したりすること、それを除いたほかの一切は。」

ここのところが映画の字幕では、「この世に存在するものはなにもかも素晴らしい。品位や崇高な目的を忘れない限り、この世のすべては輝いて見える」となっています。

小説のここのところを映画で見て、わたしがますます思ったことは、不倫、不倫って言うけれども、それがほんとうに人間にとって肉体や魂や精神の堕落を意味するのだろうかという疑問だったのです。

不倫というのは人の道にはずれたことだとわたしも思っています。けれども、この二人がほんとうに高尚なものを求めていることも事実です。あとになればなるほど真剣そのものになってゆく。二人が罪の意識を背負いながら不倫を続けていくことをわたしは責めようとは思わない。責めることができない。なぜなら、愛情の乏しい結婚よりも、この二人の不倫による愛のほうが、ある意味では人間としてむしろよほど清いことではないかとさえ思うからなんです。

たしかに、アンナとグーロフはそれぞれの夫や妻を裏切ることになるし、子どもも不幸な目に遭わせることにはなります。それでもやはり、この二人の関係は切り離せないものなんじゃないか。正しい道のために別れることを選ぶ。それだけがいいことだとはわたしには思えないのです。たとえ苦しくても、自分の魂が求めるものを求め続けてゆく。やっぱりそれが、人間の「生きて生きて生き抜く」ことの一つのあり方と言えるのではないか。

四三ページに「それはまるで、ひとつがいの渡り鳥が捕らえられて、別々の籠に養われているようなものだった」とあります。ここなどもとても心に残る比喩なんですよね。せめていっときでも籠のなかから出してあげたい。二人だけで会ったあとで、飼い主に見つからないようにして、また籠に戻ってゆく。そんなイメージが思い浮かぶんですよね。

いっぽう世間一般の人たちやグーロフの友だち連中のなんと野暮で下品なことでしょうか。もうひどいですよね。トランプ遊びに暴飲暴食、なんの目的も持たないで日々を過ごしているだけでしょう。それにくらべたら、魂を求めて二人がこのまま生きていくというのは、不倫には未来はないですけれども、でもなにかがひらけるんじゃないか、なにかがそこからひらけるはずだとわたしは思いたいのです。

B（三十代女性）　映画だと最後に二人は別れるんでしたっけ。

A　いいえ、やはり別れないままです。最後まで原作どおりです。

C（六十代男性）　そうですね。別れないんですが、このさきどういうふうに生きて行ったらいいのかと二人とも疑問と不安をかかえたままですね。そのラストも非常に原作に忠実です。細部にいたるまで原作に忠実だと言ってもいいくらいです。ただ、映画のなかで、演出上些細なことなんですけれども、付け加えられているところがあって、原作にその場面はない。

たとえばヤルタを去るアンナをグーロフが駅まで見送りに行くでしょう。見送ったあとにプラットホームを引き返してくる。すると手袋が片方だけ落ちている。あれは原作にない場面ですね。その手袋を拾って柵にちょこんと載せる。それがアンナの手袋なのか、ちがう人の手袋なのか、その場面からだけだったらちょっと分からない。でも前のほうで、地面に落ちたアンナの手袋をグーロフが拾って手わたす場面があるのです。だからその場面を思い出すことによって、ああ、あれがこの場面の伏線になっていたのか、とわれわれは思いあたる。

Ｂ　そうしますと、あとのほうでまた手袋をひろって、手わたす人がいなくなってしまったので、こんどはそれを柵の上に載せて立ち去るというのは、これでまた自分の恋が一つ終わった、というグーロフの気持ちの切り替えを表わす身ぶりということなんですね。

Ｃ　そうだと思います。ああいうところが映画として印象に残るんです。監督のヨシフ・ヘイフィッツという人は、この一作だけしかわたしは知りませんが、すぐれた監督だと思います。

司会　Ａさんのご感想とご意見、アンナの「ほんとうの意味で生きたかった」という言い方からしても、彼女は一貫してぶれてないですよね。グーロフも潜在的にそういったものを持っていたのかもしれないですね。けれども、かれはもともと世俗的な世界にいる人物で、それにくらべるとアンナは非常にまっすぐで、輝くばかりの真昼の人といった感じがします。グーロフのほうは、後半にも出てきますけれども、夕焼けのというか、たそがれの時間にやってくるような人です。そういう、いわばサンライズとサンセットの男女の交差の仕方ですね、それがこの物語の一つの特徴にもなっているわけです。

わたしの考えでは、グーロフはアンナに触発されたというか、目覚めさせられたと言ってもいいと思うのです。彼女のなかに「永遠を見つけた」と小説にも書いてあるじゃないですか。つまり彼女に出会ったことで、ほかになにもいらない、ここに永遠があった、という真実をアンナのなかに見つけたということだと思うのですね。

では、こんどはDさんに感想を述べていただきましょう。

二　一瞬のなかの永遠

D（二十代女性）　これは何年か前にいちど読んだことがあってこんど再読したんです。チェーホフはすごく好きです。なぜ好きになったかというと、何年か前に自分がすごく落ち込んでいたときに、たまたまチケットをもらって観に行った芝居が『三人姉妹』だったのです。

この物語を読んでいても強く感じることなんですが、チェーホフの小説やお芝居というのは、ところどころにとても深く考えさせられるような言葉や思想があって、そこに語られていることはとりもなおさず自分のことなのではないかとつい思ってしまうんですよね。

たとえば『三人姉妹』の幕開けで、どうしてこんなに自分の人生は苦しいんだろう、この苦しさがなんの苦しさか分かるために自分は生きていかなければならないのだ、という意味の言葉が出てくるのです。わたしはこのお芝居を観たときに、自分のためにこのお芝居は書かれたんじゃないかとさえ思ったくらい心に迫ってきたのをおぼえています。そのときわたしがどう感じたかもはっきりとおぼえているんです。ああ、それでは自分がいまこんなに苦しいのも、生きていればきっと解決されるし、そのために自分は生きていかなければならないんだ、と思ったら少し気が楽になったのと同時に、どうしようもなく涙が流れてきてしまったんです。

なにか心のなかのわだかまりがずばっと打ち抜かれたような感じがしたと同時に、もっと深いところでほっとさせられたという感じでした。それからというもの同じチェーホフのお芝居ですが、『桜の園』とか『ワーニャおじさん』とかも好きになって、舞台をなんども観に行くようになりました。チェーホフの作品って、いろんなところにはっとさせてくれるような深い言葉がさりげなく散りばめられていて、それもとても好きですね。

司会　続いてEさんはいかがですか。

E（四十代女性）　わたしは本で読んだのは初めてですが、Aさんが言われた映画はテレビで見たことがありました。そのときの記憶と今回原作を読んでの感想と明確に分けないままで発言するんですけれども、この二人は、たがいに真実を求め合っていたと思います。二人とも二つの生活を持つことになる。これは奇妙なめぐり合わせではありますけれども、なにか人生の真実を求めていた二人ゆえにこうしてめぐり会ったという感じがするんですね。

グーロフにとっては、一つは表面的な仮面の生活で、もう一つの生活のほうにかれの真実の部分がある。でも、その部分ははかないし、もろいものでもある。かえってそれゆえにいっそうそれを大事にする、というか執着して行かざるを得ない。なぜならそれはグーロフにとって自分の人生の終盤近くになってから得たものだからです。そういう事情もあって、グーロフの苦悩が、いままでかれが経験したことのない深いものとして描かれているという気がしました。

司会　アンナについてはどうでしょう。

E　アンナはまだ若くて、これから未来もあるけれど、でもやっぱり彼女にとっての真実というものが、どれほどの犠牲を支払わなければ手に入れられないものであるかということが、もう彼女には分かってしまったわけですね。ですから、そこからさきの二人の運命を想像したり、語ったりするのは、読者としてもかえってつらいものがあります。

でもわたしが原作を今回初めて読んでみて強く思ったことは、そういう二人の切実な気持ちがこの物語からじかに伝わってきたということなのです。さっき「生き抜くことが大事だ」とAさんがおっしゃったのですけれども、真実を求め続けて生きていれば、自分の魂がなにを最も大切なものと感じているかが分かる。そしてそういう生き方を選ぶことの重要さですね。そう考えると、二人の関係を周りの人々は結局だれも裁くことなんてできないのではないかということなのです。

司会 ほんとうの意味で生きたいとアンナが言っていますが、グーロフ自身もそれを見つけたわけですよね。わたしたちも、日常生活においてほんとうに生きているという実感を持つような瞬間があるかどうか。生きているようで死んでいるみたいなところがあるというのが実情かもしれませんしね。そう考えれば、不倫というカテゴリーのなかに二人を封じ込めてしまうのは、Eさんが言われるようにちょっとちがうのではないかという気もします。

不倫というのは、文字どおりには倫理にあらずということなんですけれども、そういうところに封じ込めてしまうのはちょっとちがうんじゃないか。彼女とかれの関係はそれを凌駕《りょうが》しているんじゃないか。世間は引きずりおろそうとするけれども、でもそれはちがう、まちがっているのは世間のほうなんだ、とそういう思いがわたしにもありますね。

この二人は、人生の真髄と呼べるものをおたがいに相手のなかに見つけてしまった。だからもう後戻りはできない。それではどういうふうに生きていくことができるのか。いずれにしても、これまでの世間のしきたりのなかでは容認されない生き方になることは確かですね。そのあたり、Fさんはどうお考えですか。

F（五十代女性）　うん、でもその前に、考えてきたことをまず言わせてください。グーロフという男は俗物でしたよね。人生を甘く見て生きてきた男です。それが中年になってからほんとうの恋を知った。しかしそれはアンナと別れてから気がつくわけじゃないですか。

　アンナはまだ若くて世のなかにいっぱい夢や情熱を持っていたのに、つまらない夫との結婚生活のなかで自分を埋没させて生きていて、そのことにたまらなさを感じている。

　たぶん、ちゃんとしたしつけと教育を受けて育てられてきた女性ですから、不貞をはたらくということの罪の意識は十分あったでしょう。でも自分を抑えることができなくて、どんどんグーロフに惹かれて行き、わたしはほんとうはこういう人間じゃないんです、こんなことをする女じゃないんです、と自分にもかれにも言い聞かせようとしている。自分で自分の意識をコントロールできないときに、わたしはあんなつまらない退屈な夫のところにいるが、ほんとうはもっと情熱を持って生きたかったのだ、というふうに、けっこう自分にエクスキューズを作ろうとしているようにも見えますね。むしろそこの心理がわたしにはおもしろかったんですけれども。

　グーロフはアンナと別れたあとで自分のほんとうの気持ちを知って、おたがい相手がいなければもう生きていけない、そういう存在になってしまった、とたがいに認め合いながら逢瀬《おうせ》を重ねてゆく。するとかれもまたすごく変わっていくわけじゃないですか。ほんとうの恋を知ったときに、ほんとうに愛する心というものがグーロフのなかに出てくる。いまの彼女にしてやりたいことは、ただ誠実でいたい、優しくしてやりたいという気持ちですよね。

司会　さきほどDさんは戯曲のことをおっしゃったわけですけれども、『犬を連れた奥さん』は小説ですよね。こちらはどんな感想を持たれたのか、いまのFさんの意見と関わらせながらちょっとうかがってもいいですか。

D　はい。Fさんはアンナが自分にエクスキューズを作ろうとしているように見えるとおっしゃったんですが、ちょっとそこはわたしと受け取り方がちがうようです。

わたしはこの小説を今回あらためて読みなおしてみて、アンナは自分とは段ちがいというか、ほんとうにすてきな人だなと思いました。それはまさに、彼女が自分の行為に逃げ道を作ったりしない誠実さを持った女性のように感じられたからなんです。

グーロフのほうはそういう彼女のことが最初はよく分からない。けれども彼女が好きなので、そういう気持ちを態度にも表わすわけですよね。わたしだったら、この人はわたしのことを大切にしてくれているし、好きなんだなと思って、自信を持っちゃうと思うんです。だけどアンナはちがっていて、自分が不倫という罪を犯したために堕落した女になってしまったとほんとうに感じていると思います。だからこそかれが愛してくれていることさえもすぐには信じられなくて、愛していると口では言っていても心のなかでは堕落した女と自分のことを思っているんじゃないかとか、軽蔑しているんじゃないかとか、そういうふうに解釈して物思いに沈んでしまうんですね。

もし自分がそういう状況に陥ったとしたらどうだろう。不倫というのはいけないことだと思っても、相手の気持ちまでは疑わないでしょう。ところがアンナは、かれが想ってくれているということよりも、自分が犯した罪のほうに重圧を感じています。自分はなんて卑しい女だろうと思っている。そんな姿を見ていると、恋をするにもなにをするにも、アンナはまじめに自分というものを掘り下げて考える人なんだなと思わずにはいられません。とくにそれを感じさせるのはこういう言葉です。

「私はわるい卑しい女ですもの。自分を蔑《さげす》みこそすれ、言いわけしようなんて考えても見ませんわ。わたしは良人《おっと》をだましたのじゃなくって、この自分をだましたのです。」

自分がこういう状態になったのは夫がわるいからだとは言わず、ずっと自分で自分をだましてきたというその言葉に、他人のせいにせずにつねに自分のこととして悩んでいるというか、たとい自分がその悩みの主人公であってもいいから、自分の生き方を生きたいと思っている女性なんだなというふうに思います。
二人の関係はまだ始まったばかりで、これからが険しい道のりになることは明らかですよね。それを考えると明るい気持ちにはなかなかなれないと思うんですけれども、二人にとっての解決策といったものはわたしにも分からないんです。けれどもさきほどのAさんのお話をうかがっていて、別れてしまうんじゃなくて、苦しさを引き受けながら生きて行くというのも、二人にとっての一つの選択肢なのかなと思ったことも事実です。

司会　なるほど。Fさん、いまのDさんの解釈についてはいかがですか。

F　おっしゃることは分かります。でも別の観点から言わせていただくと、アンナ自身の問題というよりも、どういうふうに二人が生きて行くかという問題のほうが大きいと思うのね。
たぶん十九世紀のロシアというのは、美しいものを愛でる心とか、人を愛する優しさとか、そういうものよりも、世間体とか、外から見た自分たちの生活というものを重要視していて、そのなかにある人間の感情、人間のほんとうの気持ちというものは、生きていくうえではあまり重要視されていなかったんでしょうね。自分の気持ちなんかは関係ないという、そういう時代だったんじゃないかな。

愛し合っている二人ですけど、物語の最後のほうでは、やはり自分たちのこの恋も愛もいつか色あせるときがくるだろうという不安が双方の側にある。

人間の純粋な感情や、愛するという美しいものさえもふくめて、すべてのものは自然の大きな流れのなかに溶け込んで行ってしまう。わたしたちの人生ってなにかそういう無常感のようなものに支配されている。だからチェーホフという人は、人の世のはかなさは乗り越えられないものなのだということも分かっていたし、すべてのものいっさいが空《くう》であるというふうに達観していた人じゃないかなとさえ思う。この世に永遠に続くものはなにもない。グーロフとアンナのような、こんな真実の愛でさえも、やがて消えて行くときがくるだろう。だからこそこの瞬間の二人の情愛が高まる、とそういう感じがしますね。

司会　おっしゃるのは、自然だけが永遠不変であって、それにくらべると、人間はどんなに長く生きても一瞬だけでしかないということでしょうか。

F　ええ、わずか一瞬ですね。それが無常感のようなものとして小説のなかに感じられるわけです。

司会　でも、そうだとしても、グーロフとアンナはその一瞬のなかに永遠なるものを感得している。というか、一瞬であっても同時にそれは永遠でもあるという意味での確かさを、二人は互いのなかに感じ合っている。そんなふうに思うのですけれどもね。

F　そうかもしれないですね。わたしが言いたいのは、無常に重きを置いた人生観のほうではなくて、人を愛することによってほかのものをも愛する心が芽生えてくるという、そこがとってもいいなと思うの。

最初グーロフは、通俗的な男性の典型のように感じていたんだけれど、アンナと出会い、いったん別れるでしょう。ところがそこからかれはどんどん変化して行く。そこがね、ほんとうにおもしろいところなんですよね。

アンナの思考過程って手に取るように分かりますね。若くてまだ世のなかを知らない女性が、不倫というこんな大胆なことを自分はしているという、あの辺の描写がすごく作者は上手ですよね。

司会　好きだ好きだと言われても、わたしもそうですというふうにスムーズにはいかないのは、やはりそれまでのしつけや教育やが、ためらいというか動揺をアンナのなかに引き起こしてしまうからでしょう。Dさんの場合はそこにアンナの魂のふるえを見るわけですね。

D　そう言ってもいいと思いますね。

F　でもね、やっぱり彼女は思いきってエグザイルしてきたわけですよ。まずはヤルタに。退屈で退屈でたまらない日常生活から逃げ出してきた。つまりあるアクションを彼女は起こしたわけです。するとプレイボーイのグーロフがたまたまヤルタにきていた。人妻でも引っかけようとあのときは思っていたんでしょう。そこでアンナが自分で望んでいたのとはちがう方向に事態が展開してしまった。

それだけに人間の気持ちというのは、ほんとうに自分ではコントロールできないものなんだと思わされる。自分は自分のことがよく分かっているから絶対にこうはならないとか、わたしはこういうことは平気だみたいに思っていたって、実際はやっぱりできない。自分の感情というのはほんとうにくせものだなあということをつくづく思わされるんですよ。

グーロフのほうにも同じことが言えますね。だって初めはタカをくっていたわけじゃないですか。どうせ自分がモスクワに帰ってしまったら、アンナとのことなんかすぐに忘れてしまうだろう、と。ところがあにはからんや、忘れることができないどころか、わざわざ彼女が住んでいる町まで会いに行ってしまうんですものね。

そういう人間の気持ちの変化、行動の変化を、チェーホフはじつに的確に書いていますよ。

三　心の変化

司会　ちょっと女性陣の発言ばかりが続いているので、ここらでグーロフ的なところなきにしもあらずのGさん、どうぞ。

G（四十代男性）　自分がグーロフに似ているとはちょっと思いませんけど……。（笑い）というのは、あの女たらしの中年男というイメージ、自分はあんまり好きじゃないんです。不倫も好きじゃないし、不倫という行為はやはり否定されなくてはいけないと思う。

それはともかく、ぼくがチェーホフを読んだのはこれが初めてです。モーパッサンとか、ダフネ・デュ・モーリアとか、物語がおもしろいのをよく読んでいたんで、これはどんなふうにドラマチックに展開して行くのかなと思っていたら、物語そのものはそんなにびっくりするような話じゃないですね。ああ、ふつうの不倫の話かなと思ったんですけど、読み返すとなかなか深い言葉もあったりして、全体として味わい深い作品だなと思いました。

印象に残った部分は、「二つの渡り鳥が捕らわれて別々の籠に飼われているようなものだ」

というところですが、いまみなさんの話を聞いていて、自分が読み落としていたなと思ったところは、オレアンダの丘のところですね。ベンチに腰掛けて二人で海を見ているところです。そこを読み返していたのですが、すごく深いものが語られていたんだなと思いました。この場面のあとで、番人かだれかがちょっと近寄ってきて、それから立ち去るという描写がありますね。ちょっとしたことでもいかにもこう神秘的に思われるというところに、このグーロフの心の変化が現われているように思いました。

いっぽうのアンナは、女性としてそんなにぼくは魅力的な人だとは思わなかったですね。むしろ古い感覚の人だなと思いました。だから倫理感も強いのだろうと。そのせいもあって、不倫はしていても基本的にはそれまでの生き方をこわすなどということは考えられないのでしょう。グーロフもそれは同じでしょう。だからこそ逆に二人の思いがたがいにつのって行ったんじゃないですか。

司会　Hさんはどのようにこの物語を読まれましたか。

H（五十代女性）　チェーホフという作家についてですけれども、この短編集に収録されている物語をいくつか読みまして、やはり恋愛の話、心の変化を描いているものが多いんですよね。

ちくま文庫の短編集だと、巻末にそれが発表されたときの年号が書いてある。『犬を連れた奥さん』の場合は雑誌『ロシア思想』一八九九年十二月号とあるけれども、だいたいお堅い雑誌が多いんです。よりにもよってなんで『ロシア思想』のような題名からしてかたい雑誌に、恋愛の話なんか書いていたのかな。

ロシア革命が一九一七年でしたよね。その革命の二十年くらい前に『犬を連れた奥さん』が発表されている。主人公たちはそんなに貧しいわけでもないし、そんなにお金持ちでもない。まあ、中間くらいの層の人たちの生活を描いている。そうすると、社会的、政治的にチェーホフがどういう思想を持っていたからそういう階層の人たちを書いていたのか。そのへんも興味深く思いながら読みました。

司会　Gさん、グーロフの気持ちの変遷についてはどう思いましたか。

G　こんな女たらしみたいな人物が、何人もの女性と関係していて、もう年とって髪も白くなってから初めてこういう真剣な恋をしたわけですが、こんなことが実際にもあるのかな、でもあるんだろうなあとは思いました。相手にした女性というのもきっと女たらしのプレイボーイにあっさりなびくような女性が多かったんでしょうけれど、アンナはそうじゃない。不倫とか浮気とかがほんとうはきらいな人だと思うんですよね。本質的には古いタイプ、保守的な女性ですよね。だからグーロフと関係を持ったことで深刻に悩むんでしょう。

C　グーロフは「妻をあてがわれたのが早くて」とあるんですけれども、自分から好きになった女性と結婚したわけではなくて、まだ大学二年のころに周りにお膳立てされて、それで結婚してしまったんでしょう。

司会　チェーホフの人物描写って容赦ないですよね。いままで関係があったあまたの女性の表現なんてもう、あ、これわたしだ、とか思っちゃうほどで……。（笑い）

D　男性に対してもそうですよね。

司会　うん、男性に対してもそう。

F　まずがっちりしていて背が高くて猫背で、とか。よくそういう表現を使うでしょう……。

Ｉ（五十代男性）　そうですね。でも、容赦ないんだけど、なんとなくこう、根底には人間に対する愛情というか人間の愚かで哀れなところもふくめて人間讃歌みたいなところがあるような気もするんです。

チェーホフには「人間、この愚かなるもの」みたいなところと、「人間、この愛すべきもの」みたいなところとが、随所に感じられる。だから人間のきれいな面だけではもちろんないし、きたないところまでも見せるんですけれども、そのいっぽうであくまで人間を肯定している。そういう両方の要素がこの作家には感じられるんですね。

Ｆ　十九世紀のロシアのあのころって、あんまり恋愛結婚とかなかったんですかね。家と家との関係とか……アンナだって自分から望んで結婚したわけではない、親や周囲が勝手に決めてしまった、なんかそんな感じですしね。

Ｄ　だからそういう、心の結びつきとかは二人とも知らなかったのでしょう。知らないままアンナも嫁いでしまって、人妻になってみると幻滅したというか、結婚とはこんなものだったのかというような気持ちがあったと思うんですよ。グーロフのほうも性根《しょうね》は女たらしじゃないかもしれないという気がするんです。自分が心を結びつけられるような人を、ほんとうはどこかで求めていたんだと思うんです。

四　官能について

司会　どうですか、Ｊさんは。

Ｊ（六十代女性）　わたし、チェーホフってよく分からない人なんじゃないかと勝手に思い込んでいて。一生本を読むご縁がないんじゃないかと思っていたんだけども、今回この小説を読んで、アントンって呼びたくなるくらい親しみをおぼえましたね。チェーホフっていうより、アントンにしようかなっていうくらい。（笑い）

司会　この『犬を連れた奥さん』は気に入ったと、さっき会が始まる前もおっしゃっていましたよね。

Ｊ　そうなんです。なぜ気に入ったのかというと、この最後の文ですね。みなさんが話されているのを聞いて、人生というのは真実を求める旅と言ってもいいのだなと漠然と思っていました。周りに左右されるんじゃなく、最終的には自分の気持ちにしたがって生きることの大切さですね。最後の何行かを読み終わって、ああ、そうなんだ、という明るい未来をうかがえるみたいな気分になったんです。それがよかった。
それと、さっきも言われていましたけれど、わたしもあのオレアンダの風景のところがすごく印象に残りました。

司会　ああ、オレアンダの丘ですね。人物描写を一つの特徴とすると、自然描写がもう一つの特徴ですね。湿度とか温度とか、日光や月光とかいろいろ表現はありますが、この二つ、つまり自然と人間の情景の妙がみごとに組み合わされている。
アンナの部屋に初めてはいったグーロフが、テーブルの上にあったスイカを一切れぺろっと食べるなんていう、あの場面なんかは、これから二人の男女の始まりを感じさせる描写として、とても気持ちをそそる場面ですよね。そそられると言ってしまうとなんだけれど、つまり官能的な文章ですよね。

F　そうですか。わたしは逆で、なんか「スイカ食べたんだあ」と思って。アンナだけがどきどきしているというか、罪の意識を感じて惑乱しているのに、グーロフのほうは退屈そうな顔つきをしながらスイカなんか食べている。やっぱりこの男、ちょっと軽いというか、あんまり感じていないんだなという気がしましたよ。

司会　それはやっぱり、喉の渇きでしょう。それがすなわち主人公の魂の渇きだったのかもしれないでしょう。

F　でもいっぽうで初めて交わりを持った女性が泣いているというのに、よくものが喉を通るなと思っちゃったんですけど……。

司会　そのあたりどうですか、Kさん。

K（四十代女性）　まさにその場面なんですが、アンナが嫁いだのは二十歳のときでしょう。スイカを食べているグーロフのまえでこう言っていますね。

「わたしは好奇心でもって苦しいほどいっぱいで、何かましなことがしたくてなりませんでした。だってごらん、もっと別の生活があるじゃないか――って、わたしは自分に言い言いしました。面白おかしい暮らしがしたかったの！　生きて生きて生き抜きたかったの……。わたしは好奇心で胸が燃えるようでしたの……」とありますよね。

ここを読みながらわたしも思ったんです。生きるって好奇心から始まるもので、人生そのものに興味があるからこそ生きて行かれるんだなって。実際、自分自身に置き換えてみると、与えられたものだけで生きていてもつまらない。なんのために生きるんだろうと、ときどき考えてしまうんですよ。……とはいっても、生きることの意味なんてむずかしいことは、自分が死ぬときになって分かればいいのかなとも思ったりしますけれどね。

同じように恋も永遠のテーマであって、最終的に分かればいいのかなと思います。この二人は真実の愛を、ほんとうに求めていた愛を見つけて、それまで半分ずつに割れていたものが一つになったという感じですね。年齢も立場も関係ない。人生においてぴったり合う人たちならば、どんな境遇であれ、こういうふうにいつか思いがけず出会うことができるのかもしれないわけです。ですから最後は別にアメリカ映画によくあるようなハッピーエンドというのではないけれど、おたがいに自問することによってなにか解決策というか光のようなものが見えてくるのではないかという表現があって、そこに救いがありますね。

この作品は人生のそういう面についておしえてくれていると思います。チェーホフ自身がそれを自問し続けながら生きた人だったのでしょうね。

司会　Lさんはいかがですか。

L（五十代女性）　わたしもチェーホフは初めて読んだんです。印象に残ったのは、別れたあとでグーロフが真実の愛を見つけたのかなというところです。ヤルタでアンナを見送ったときは二度と会うこともないだろうし、もう思い出すこともないだろう、と言っていたかれですが、あとになって記憶のなかでアンナのイメージが浮かび上がってきて、押しとどめられなくなりますね。そこで初めて、自分が求めていた女性というのはアンナのような女性だったのだということを悟ります。あの場面がほんとうにすばらしいと思いましたね。

司会　Dさんがまた発言がありそうですね。どうぞ。

D　グーロフのアンナに対する愛情表現というのは、最初は彼女を抱きしめたりキスしたり、そういう感じだったと思うんです。けれども、彼女のことをほんとうに思うようになってから、愛情の表わし方までもが変わってゆくんですね。

　時代背景や社会的条件を考えますと、二人の関係は事実上破綻《はたん》せざるを得ないように運命づけられている。いずれは終わりを告げるときがくるとはグーロフも分かっている。けれども、アンナにそんなことは言えない。それでグーロフは彼女のそばに歩み寄って、肩に手をかけて、あやしたりおどけたりして見せるわけです。その姿がたまたま鏡に映る。そのとき初めて、自分は問題から逃げているだけだということにかれは気づいたと思うんです。そこからかれは変わったんじゃないでしょうか。

最後のところで、二人で長い時間相談するんですよね。いつもだったらアンナが泣いていると、抱きしめたりあやしたりとかでしか自分の愛情を表現できないんだけれども、このときはちがう。

「お止《や》め、いい子だから。それだけ泣いたらもうたくさん。今度は話をしようじゃないか」と言います。

じつはここにわたしは感動したんです。というのは、その話って楽しい話じゃないわけでしょう。でも二人のあいだでいちばんしないといけない話でもあるわけですね。わたしの場合、そういう話って、親だったり恋人だったりとであっても、それがつらかったりいやだったりすると、そういう思いをしたくないからなかなか話し合う気になれない。それだけにここでのグーロフは人間的に立派というか、逃げていない。そこがとても男らしいと思いましたね。

もちろんすぐ解決方法なんか見つからない。それでも「話をしよう」とかれのほうから言っている。そこが、かれがさらに人間として深みを増したというか、人間的にもぐっと変わったところだと思います。アンナにとっても大きなひと言だったと思うんです。解決策がなかなか見つからないような深刻な問題であっても、こうやって向かい合って真剣に話し合うということが、どんなときでも人間にはとても大事なことなのではないかとあらためてつくづく思いました。

司会　なるほど、そのとおりですね。では、Aさんに戻ることにして、Aさん、どうでしょう、いままでの話し合いをお聞きになっていて、なにかとくにご意見はありますか。

A　そうですね、さきほどオレアンダのところで、すべては何百年、何万年後かには無になってしまうとFさんがおっしゃいましたよね。でもわたしは、あそこの一節を読んでそういうふうに取るのかなあ、と思いながらうかがっていました。もし、こんなすばらしい愛もなにもかもがしょせんは無になってしまうというのだったら、グーロフは自分がこれだけ心に感動したことを言えるだろうか、言えないのではないか。逆にむなしくなってしまうのではないだろうか。

たしかに作者はすべては無に帰るという意味のことを言ってはいますね。でもわたし、このオレアンダのところは反対に、勇気づけられるというか、人生や人を愛することはとてもすばらしいことなんだという感じが伝わってくるんです。

F　さっきはわたしの言い方が誤解を招いたかもしれません。そうなんですよね。ここは人間が喜怒哀楽に翻弄されながらも、それでも一生懸命生きてゆく人間の営みの大切さが肯定されていますよね。

人間の一生はいずれ自然のなかに埋もれて行ってしまうけれど、でもやっぱり人間として生まれてきたら、怒ったり泣いたり愛したりという、そういう感情に忠実に一生懸命生きることが大切なのだ、ということをこの作品から受け取ることはわたしも反対じゃないんですよ。

A　わたしね、この二人が清らかできれいだと思っているわけではないんです。だって、いろんなごちゃごちゃしたものを持っていますし、いっぽうではやっぱり自分の家庭を捨てることができないわけですしね。もし二人で駆け落ちなんかしてしまったら生活ができなくなってしまうことはたぶん目に見えているわけだし、だから生活はやはり守らないといけないわけです。アンナだって、生きたいように生きるといったって、そこから出てしまったら、ほんとうにタカかワシに小鳥が食われてしまうように、社会のなかで生きていけなくなりますよね。でも、そこは守りながら、自分の心のなかのものを求めて生きてゆくことはできると思います。

F　まったくそうなんです。だからこそ人間は文学とか芸術とかいろいろなものを人生のなかに生み出す必要を感じている。自分の気持ちを無視しながら生きてゆくことなんてほんとうはできないわけです。

A　わたし、Gさんにも反論したいんですよ。グーロフはふざけた女ったらしなんかじゃないと思うんです。やっぱりかれなりに本質を見ようとしているんです。どこかで自分の理想を求めている部分があって、それをアンナのなかに見つけたんだと思うんですね。

G　ぼくは、かれが自分の理想を求めて生きている人だとはちょっと思いませんでしたけどねえ。

H　そうですよ、これを読んでいるかぎりでは、グーロフは女性の心の部分はあまり気にしているふうでもなかったんじゃないですか。この時代の男性は遊ぶのが当然といったところがあるでしょう。だから、社会情勢がグーロフのような男性を作り出していたのであって、アンナと関わり合うことによって、そのグーロフが初めて変わってゆくきっかけを見つけたんじゃないかな。

司会　ほかになにかありますか。

F　話がまったくちがうんですけど、名前がアンナじゃないですか。だから『アンナ・カレーニナ』をわたしは思い出していました。あの話ではアンナは追い詰められて鉄道自殺してしまいますよね。

C　アンナ・カレーニナとアンナ・セルゲーヴナを類似した存在として考えるのはちょっとちがうと思いますけれどもね。境遇は似ているかもしれないが、作者たちの扱い方はぜんぜんちがっていますね。

　トルストイはこの『犬を連れた奥さん』に対して否定的なんです。ニーチェ主義が目について気に入らないと言っている。

司会　ある意味ではトルストイのアンナのほうが奔放に見えますよね。どうでしょうか。

C　そうですか。わたしは全然奔放じゃないと思う。しかし不倫しているわけですよね、社会的に見たら。それをトルストイは許さないわけです。

アンナ・カレーニナはトルストイの一部でしょう。自分自身の投影でしょう。そのアンナ的なところをトルストイは自分に許さない。そのため自分のヒロインを自殺にまで追い込んでゆくんです。それはトルストイの倫理観の厳格さでもあると同時に、時代的な制約でもあったかもしれませんね。

チェーホフはトルストイに学んだあとの世代ですが、トルストイを乗り越えるような解決策がチェーホフにあるかと言ったら、それはないわけです。倫理的にしばりがゆるくなった二十世紀の話ではありませんからね。

五　性の問題として読む

司会　ここらでそろそろ本日のゲストである演出家のMさんにも発言をお願いしましょう。Mさんはこれまでチェーホフを舞台に乗せたことはおありなんですか。
M（六十代男性）　いや、ぼくはないんですけどね……。ただ、こんど小説を読みなおしてみて、同じチェーホフでも、小説と演劇とではやっぱりちがうんだなということをあらためて感じましたね。

というのは、演劇というのは対立と劇的な構造でドラマを見せるわけです。けれどもたとえば日本では新劇に新しい息吹きをもたらしたと言われている演出家で劇作家の森本薫の代表作『女の一生』とかにしてもですね、情景を描写しながらドラマを作っていくわけだけれども、その原点になったのがチェーホフですね。チェーホフはある情景を描写しながら、流れてゆく描写のもとにドラマをつくるという、典型的な書き方をする人です。

だが、それでは真にドラマチックな芝居とは言えないというので、チェーホフの影響を受けたうえで一生懸命ドラマチックなものとはなにかを考えた人が、アメリカのテネシー・ウィリアムズです。実際かれの作品のほうがチェーホフよりもずっと激しいわけなんです。

ぼくは四十歳のときに二十歳の女性と不倫をしたこともないし……あ、うそっぽく聞こえるね。（笑い）ただ、みなさんとはちがう意味で、ある違和感をおぼえながらやり取りを聞いていたんです。いままでみなさんがお話しなさっているいろんな面からのお話では、ぼくの違和感にはまだ触れられていないんですよね。

このアンナという女性が二十歳の前半ではなくて、三十歳かそれくらいのときに恋愛していたらどうだったろうか。彼女は夫から離れて行くでしょうね。また四十歳だったらと考えると、彼女のほうも男のほうもこんどはもう少し冷静になっている。恋に狂ってはいるけれども他方では冷静な部分もあるでしょう。

グーロフがそうでしょう。アンナを訪ねて出かけて行くのはよっぽどだけれども、同時に冷静な部分もあるはずです。それが、劇場での場面で、グーロフがアンナを見つけて近づいて行くでしょう。あのときの近づき方が、チェーホフにしてはあまりうまくないなと思いましたね。アンナは夫と劇場に来ているわけでしょう。夫はちょっと席をはずしている。そのすきにグーロフは近づくわけだけれども、周りにアンナの顔見知りの人々がたくさんいるはずですよね。いちおう周囲に配慮をしながら近づいて行ったにもかかわらず、通路に出て行って、アンナの目の前に立って、そのままずっとそこに立っている。ちょっとあまりにも青年っぽいなというか、四十歳を過ぎた中年のグーロフのような百戦錬磨の人間にしては、そこが解せないふるまいなんです。Cくんだったらどう思うのかな。意見を聞きたいところです。

司会　そうですね。でも、とりあえずさきを続けてください。

M　この物語に語られているような恋は、男が四十だったらふつうあっておかしくはない。そんなむずかしい恋でもなんでもない。二十歳の女の人が好きでもない男の人と結婚して、結婚生活が満たされなければ、新しい男の人を無意識のうちに探すのもごく自然なことです。

でも、いまだから自然なことと言えるけど、その時代に自然だったかどうかというのは分からない。そういうこともふくめて、歴史的なことはCくんに聞かないとぼくには分からない。ただ、いまの時代で言えば、むずかしい話でもなんでもないということです。きれいな恋でもないし、かといってきたない恋でもないし、ごくふつうの流れじゃないでしょうか。

もし、一回目のセックスでおたがいに感じていなければ、たといヤルタに滞在していたときだって二度と二人は会っていないでしょう。そう考えるのでなければ不自然ですよ。アンナの部屋に初めて行ったとき、そこでめくるめくような肉体的な歓びがあったからこそ、その先の物語もあったのであってね。

結婚してからはともかく、アンナがそれまで旦那以外に男を知らないということもたぶんないでしょう。当時のロシアであったたって、十代半ばでもう体は成熟しているわけだから、性の経験はあったと考えて当然です。ロミオとジュリエットだって、十三、十四のころですよ。だから、アンナも旦那と結婚する前、十代のころにそういう経験があって目覚めたんだと考えていいわけです。そのうえで旦那とは合わなかったから不満だったんでしょう。それで次の男の人を求めているわけですね。

だから、チェーホフのすごいところはどこかと言えば、帝政ロシア時代にもかかわらず性を描いているということです。この時代に女の性とか男の性を描いているからすごいんです。トルストイにしてみれば、性をメインに書く作家がいるということは信じられなかったでしょう。

性を描いているという話がみなさんのなかにまったく出てこなかったから、ぼくは話を聞きながら違和感をおぼえていると言ったのです。

映画だって、二人が抱き合っている姿を描きたかっただろうな、撮りたかっただろうなとぼくは思うんですよね。それがあって初めてこの話は成り立つわけで、それがなかったらなんにも出てこないでしょう。

ところがこの性というものがねぇ、なかなかドラマにはならないからむずかしいんですよ。だって、舞台の上で抱き合うわけにはいかないでしょう。だから、チェーホフの作品というのは、描写や流れていくものはおもしろいんだけど、もう一つドラマチックにならないのは、かれのテーマが舞台には乗っけられないからですよ。

舞台には三つのタブーがありましてね。ほんとうに死ぬシーンを作るわけにいかない。ほんとうにセックスをするわけにはいかない。子どもを産む場面を作るわけにはいかない。この三つはタブーなんですよ。みな「らしく」演じざるを得ない。だからこの三つをドラマの中心に持ってこられないわけですよ。

そのタブーの一つを破ったのがテネシー・ウィリアムズです。かれはどうやってタブーを打開するかでずいぶん悩んだ人です。かれも性の問題が主要なテーマだったからです。男と男の問題もふくめて、性にはすごい関心を持っていた。チェーホフと同じ領域からはいっているんだけれども、どうしたら性のテーマをまともにあつかうことができるだろうかと考えながら、一幕物をずっと書いている。そうこうするうちに、まるでちがうドラマチックなものを見つけた。だから、かれの芝居のほうがドラマ的にはおもしろいんですよ。そこへゆくとチェーホフのほうが舞台はきれいです。きれいだけどドラマがなかったりすることがある。かれの作品にドラマがなかったわけではないんだけれども、ただ、かれがほんとうに関心を持っていたテーマがいつも性の問題に行っちゃう。だからそれをどうしても舞台に乗っけられなかっただけの話なんです。

したがってぼくはこの小説の二人の行動は最も人間らしいものであって、きれいだとかきたないだとか、真実とか真実じゃないとかで語る領域ではないような気がしますね。

燃えるような肉体関係がなければ、この話はすべて架空の話になってしまう。チェーホフは男の生理も女の生理もあることを信用しているわけですよ。だけどそれが長くは続かないことも知っている。どんな恋愛だって三年間しか続かないと、いまや大脳生理学でも言っているじゃないですか。

G　ちょっと質問してもいいですか。アンナの側の視点で、その、結婚前に関係があって目覚めてというストーリーは、非常に興味深くうかがっていたんです。実際アンナを中心にして考えると、ヤルタで初めて愛をからだで感じて離れられなくなったというストーリーの読み方は、それなりにとても説得力があると思います。

しかしそうだとしますと、グーロフの側からはどういうことになるんですか。かれの側からすると、結婚していて、たくさん女性と関係していて、それでアンナとの関係がほかの女性の場合とくらべてそんなにすばらしかったということなんでしょうか。

M　そう、やっぱりすばらしかったんでしょう。

G　やっぱりそうなんですかねえ。

M　でも、だからといってそのことをあまり単純に受け取らないでいただきたいんです。話をそれだけにしちゃうと、また話がずれてしまいかねませんからね。彼女の話していることもすてきだし、表情もすてきだし、いろんなことがグーロフの気に入ったんでしょう。ただ、原点としての性のポイントがないと、この話全部が成り立たないと言っても過言じゃないとぼくは言っているだけの話です。

司会　Cさん、いかがですか。さきほどのMさんの質問もふくめて発言をお願いします。

C　最初にMくんが言われたことですが、ここでみんなの話を聞いていて違和感をおぼえたというのは、非常に鋭いし、じつにきみらしいなと思うんです。つまり演出家というのは、眼光紙背に徹するという脚本の読み方をすることが大切だということなんですね。同じことは小説の場合も言えるが、なかんずくチェーホフの芸術の、いわば核をきみは考えているわけでしょう。

チェーホフに表現できたものと、時代の制限その他があって、ここまでしかできなかったというものがあって。でもわれわれは二十一世紀から読んでいるわけですね。そうするとここで語り合われていることは、女性が多いですけれども、あまり発言の内容が正直じゃない、または率直ではないんじゃないかとわたしも思う。あからさまに語られなければだめというのではありませんが、小説の読み方というのは、やっぱりその、なんだろう、チェーホフがいま書くんだったら、もっとちがう書き方をするだろうなあ、と。そういうことを読み込むようにして読むということをしないといけない。われわれは十九世紀の人間ではありませんからね。

ただ、チェーホフにはね、やっぱりたしなみというのかつつしみというのか、どうしてもそれがあって。『ロシア思想』のようなお堅い雑誌によくこんなのを書いたなと言うけれど、そうでもなかったら性のテーマを内側に持った作品なんて書けないわけですよ。

だから、トルストイとチェーホフが会ったとき、チェーホフが……あれは誰か他人に語ったことなんだよ、トルストイのことを。トルストイは、『アンナ・カレーニナ』でアンナの不倫を許さなかった。けれども、トルストイ自身はものすごく性的な作家で、性的な人で、えげつないくらいにセックスの話が大好きだった。チェーホフが訪ねて来たとき、「きみは週に何回やるのかね」といきなり、初対面で訊いたと言うんだ。それはトルストイが、やっぱりすごい文豪だから、チェーホフの書くものの裏には隠されたエロスがあるということを見抜いたうえでそういう話になったわけでしょう。

でも、小説家として表現する場合に、それをあからさまに書くということは、いくらトルストイでもできない。チェーホフでもできない。それはまったく風紀紊乱《びんらん》というふうにトルストイ自身も考えていただろう。チェーホフにしてもそれはそうだったでしょう。

でも、それが人間の根っことしてちゃんとあるということは、トルストイも理解していた。チェーホフにもそれがあってこういう表現になっているんだということはトルストイも見抜いているわけです。だからそういう性の話を、会ったばかりのチェーホフに向かってトルストイがいきなりする。チェーホフのほうが若いからどぎまぎしちゃって、終始一貫、二人だけで散歩しているあいだはトルストイはその話ばっかりだったというんです。

司会　『犬を連れた奥さん』に話の矛先を向けていただけませんか。

六　どうすればいいだろう。どうすれば。どうすれば

C　『犬を連れた奥さん』はわたしは若いときに読んで惹かれたんですよ。小説として読みましたから、芝居としてこれをどういうふうにするんだろうというところまでは想像しなかったけれども、なににいちばん感銘を受けたかと言えば、やはりグーロフという男ですね。

二十代のころに読んだときは、かれがよく分からなかった。というよりも、おれはこういう中年男にはならない、というふうに思った。で、そのころは女性とそういう深い関係になるという意味を、Mくんのような観点からではないかもしれないが、たとえば下半身のことは下半身のこと、上半身のことは上半身のことというふうには考えなかった。

さきほど指摘があったが、この小説で、二人が初めてアンナの部屋にはいって深い仲になることが終わったあとでアンナのほうは悔恨の情に駆られて、綿々と「あなたわたしを軽蔑なさっているでしょう」と言いつのる。そうでなくとも彼女の部屋は息苦しい。さっきも言及があった場面ですが、彼女の長広舌を退屈そうに聞きながら、グーロフはテーブルの上においてあったスイカをひときれ切り取って、これをゆっくり食べたと書いてある。しかも半時間かけ

て食べたとある。最初に読んだときから、なんていやらしいんだと思いましたよ。でも、つまりこれがね、エロスなんですね。今さっき言ったようにチェーホフはまともには書けない。小説でも舞台でも十九世紀末のロシアではまともには書けない。だけど、このスイカを食べるという、こういう比喩を使うわけですね。これは行為を終えたあとの男の、けだるい感じと、味わったばかりのものにいまだ舌なめずりするような、そういう表情を思い浮かべる必要があると思う。実際に思い浮かべたから、こんな中年男にはならないぞと当時は思ったんだけれど、やがていつのまにかやっぱりそんな中年男になってしまった。（笑い）

司会　まあまあ、そうおっしゃらずに。

C　いまだったら分かりますよね。これは咽喉《いんとう》が渇いたからというのは一つの理由ですが、でもイメージを考えてみるとかなりエロティックでしょう。ベッドシーンなんかはぜんぜん書いていませんけれどもね。せいぜい書いてあるのは、長い長い口づけを交わしたというくらいでね。そこいらへんは、吉行淳之介の小説みたいなエロティックな描写ができないわけです。でもしゃったら、チェーホフは発禁でもってこんな作家稼業なんてできなくなってしまう。でも、こちらがそういう感覚を持って読めば、随所に仕掛けは作ってあるわけです。

ですから、いっぽうでそういうものを読み込みながら、あのオレアンダの断崖の雲の動きとか、あるいは波の、幾千年も寄せては返すという永遠の感覚ですね、あの永遠の感覚のもとで、肉欲や色欲――いずれもいずれ滅びるものなんですよ――それが対照されている。この対照されるイメージというか感覚が表現されているのが、この小説のすばらしいところなのではないか。わたしはそう思いますね。

M　ははあ、なるほどね。

C　だけどもう一つ、わたしがこの小説のなかで個人的に感動するのはやはりグーロフなのです。かれは別に革命家ではありませんね、崇高な人生の目標を掲げて生きている男でもない。その崇高な目標から眺めて、自分の妻を軽蔑に値する女だと思っているわけでもない。あるいはその高い観点からいままで付き合ってきた女性たちを軽蔑して、女なんてくだらないとほざいているわけでもない。要するにかれ自身もまたごく平凡な男にすぎないのです。
　だが、アンナという女性と出会ってからなにかが変わり始めた。そのきっかけは、彼女を見送ったあとに「おれもそろそろ北へ帰るころだ」というあのあたりではないですかね。あそこからグーロフのなかでなにか変化が起きているんだが、かれ自身にはそれがまだ分かってはいない。自分で分かっていないから、モスクワへ帰って日常生活に戻って、一瞬だけはほっとする。だけど、そのほっとする仕方はもう以前のグーロフとはちがってしまっている。それでほら、友人が、「チョウザメは、あれはたしかに傷みがきていた」なんてことを言うと、「なにを言っているんだこいつは」というふうに、いままではまったくそれに満足して相槌を打っていたグーロフが、自分の生活がなにかつまらないものに見えてしかたなくなってくるでしょう。

チョウザメのあの比喩だってエロス的なんですよ。だからそれとアンナに対する想いが交錯するというのは、非常に官能的だと思いますね。記憶の取り戻し方というか、アンナを思い浮かべるその浮かべ方ですね、あるいは彼女に対する思慕の情と言ってもいいけれども、それ自体がある意味で官能的なことなんだね。

そういう官能性を自覚した作家でありながらも、読者に対してせいぜい暗示するようなかたちでしか書けなかったという時代を、われわれは読み取りながら読んでいかないと、グーロフとアンナとのあの激しい関係に読者としての自分をなかなか持って行けないだろうと思うのですね。

でもかれらはやっぱり時代の子でしたから、二人の生活に限界があるのは是非もないのです。グーロフはさっきも言ったように革命家じゃないし、世のなかを変えようとか、倫理なんてどうだっていいんだという、そこまで奔放な男じゃないわけですから、がっちりと世のなかのしがらみにからめ取られているわけです。アンナもまたそうなんです。だからこそ官能がいやがうえにも鋭いものになっていくし、そうならざるを得ない。そのジレンマというか矛盾はチェーホフには解決できない。だからこういう終わり方にしかならないわけです。

だけどそのうえで、チェーホフが真にただものではないとわたしが思わないわけにいかないのは、グーロフという中年の主人公を、初めて、人生のもうたそがれどきを迎え、髪が白くなりかけているころになって初めて、これまでの四十年間の人生でただのいちどもこれほど追い詰めたことがないくらいにまで自分を追い詰めさせていることです。

言葉のうえでは、「どうすればいいだろう。どうすれば。どうすれば。どうすれば」と物語の最後で四回もくり返している。これだけ「どうすれば」と自分の人生を突き詰めて考えたことはそれまでのかれにはなかったと思うんです。これはやっぱり、作者から二十世紀以降の読者への宿題だと考えていいだろうと思うのです。

いまだったらかんたんに離婚できるというけれども、事実そうでしょうけれども、でもここまで自分の内部のジレンマを深く考えて、ごく平凡なグーロフとアンナのような、こういう人々のほうがロシアの小市民のなかでは大多数だったわけでしょう。でも、この二人のなかからはロシア革命は起こってこないわけですよね。起こってこないが、当時のロシア社会のなかには、どうすればいいんだ、このままじゃいけない、という気持ちがずうっとあったわけなんだ。だから、思想的にレーニンだとかスターリンだとかトロツキーみたいな、ヨーロッパで近代の哲学や思想を学んだ人たちが実行力をもって革命を指導するわけです。一般の中産階級、アンナだってそうだし、グーロフだってそうです。そこからはこんな力はとても出てこない。でも、やっぱり高まるものはある。むろん性的なものをふくめて、人間として自分の内部の生に対する官能の欲求というものを、あるいは生の全面的な解放への渇望というものを、もう抑えがたくなっているわけです。

したがって倫理や当時の因襲的な道徳観では、もうグーロフの官能性を抑え込むこともできないし、アンナの官能を抑え込むこともできなくなっている。チェーホフは芸術家だからそれが直観として分かっている。でも、それをどこにつなげてゆくかが問題だが、チェーホフ自身にも自分が用意した宿題の答えは見いだせないでいるわけです。

司会　その「どうすれば」というところがこの小説の一つのカギなんですね。もう少し踏み込んで説明していただけませんか。

C　では、もういちど言いましょう。わたしがこの小説でいちばん感動するところは、「どうすれば」と、けっして哲学的な男ではないグーロフが考えている場面ですね。かれは、オレアンダの断崖から見た情景だって感覚として受け取っているわけだ。永遠ということも感覚として受け取っているわけであって、哲学じゃない。かれにとっては、官能ですよ。官能の男なんです。奥さんとのあいだに子どもを三人もつくったわけだけれど、この夫婦には官能性というものがひとかけらだってあったろうか。ほとんど全然なかったわけです。それはもう、さっき引用されていたとおり、奥さんの描写の仕方によってだって分かりますよね。ああ、二人のあいだには性欲はあったかもしれないが、真の性の歓びというものはなかったんだということが分かりますね。

しかしアンナとのあいだにはあったわけでしょう。長い口づけを交わしたと書いてあるだけで、彼女がどれほど官能的な女性かはわれわれ読者にも分かる。しかしその自分の官能性に彼女自身はおびえている。ふしだらな自分が許せないというよりも、ふしだらと自分でも思うほどの官能性の解放に、かえって彼女はおびえているのではないかとわたしは思う。だからそういう自分をいったいどうすればいいか分からないでいるんです。

わたしがMくんの解釈を聞いていてなるほどと思ったのは、アンナは結婚するまえ、ミドルティーンくらいで、当時の女の子だったらからだはもう十分に成熟しているわけだから、性の経験まであったと考えるのが自然じゃないかと指摘されたことですね。わたしもなるほどと思うんです。で、夫とのあいだは、もちろん子どもはいないんだけれども、夫婦生活はあるが彼女は満足できない。それは性欲が満足させられないということではかならずしもないだろう。

というのは、夫のことを言うとき、「下僕根性なんです」とアンナが言っているでしょう。夫のそういういじましいところ、卑屈なところがね、彼女にはたまらない。だから彼女は性の歓びさえ与えてもらえればあとは人生満足という、そういう女性じゃなくて、なにか人生にもっとそれ以上の輝きが与えられるようなものを求めている。それがオレアンダで瞑想にふけるグーロフにはあるが、夫にはこれっぽちもないというようなものですね。人生の有限と自然の無限に対する謙虚さと、処世としての人生に対する卑屈さとの、微妙だが決定的なちがいと言ってもいい。それが夫の卑屈さとのあいだに虚ろさというか寂しさの感覚を否定しがたいものとしてアンナのなかに作り出している。

ですからその空虚感に耐えられず、ヤルタにアンナはやってきた。むなしさから逃れてやってきた。人生に対する鋭い渇望の感覚を持っているから、ヤルタを一人で歩いていたって彼女は退屈でならないわけです。そこへちがう動機からグーロフが目をつけた。そのときのかれは、これまでの何十人もの女性とのアヴァンチュールと同じように、人妻とはいえ相手はまだうんと若いから、なにかおもしろい経験を一つ加えることになるかもしれない、といったくらいの軽薄な気持ちで近づいた。つまり接近のきっかけはグーロフの軽薄さだった。でも、思いがけず当人同士が深刻なジレンマをかかえ持つことになった。こういうことが人生にはときとしてあるのだということを、チェーホフは言っているのだと思いますね。

M　それとね、もう一つ。グーロフが最初からものすごく惚れてしまって、緊張していたら、こんなふうにうまくは行っていなかったね。軽薄で、少し気楽にやったからうまくいったわけでね。

C　そうだったんだろう。最初は、グーロフはさりげなく、いつものテクニックでアプローチした。ほんとうにいやなやつだよ、犬をダシに使うんだからね。犬を自分から呼んでおいて、おどかすだろう。そうすると犬がウゥっとうなるから、人さまに脅威を与えちゃいけないというんでアンナが「咬みませんわ」と言わなくてはならなくなる。この野郎はほんとうにいやらしいやつなんです。（笑い）

だけど、モスクワに帰ってからのチョウザメの一件で、自分の人生はなんてつまらないんだと分かってからは、記憶のなかのアンナと、彼女との思い出をグーロフは別の目で見つめるようになるのだ。

もうたまらなくなって、アンナの住む町へ出かけて行って、塀のあたりをうろうろしながら、どうしようかなと迷うでしょう。じかに訪ねて行ったら向こうだってびっくりするだろうしと思っていると、ドアがあいて人といっしょに犬が出てくる。例の犬だ。ところがね、緊張しているんです。こんどは、グーロフがね。その証拠に犬の名前さえ思い出せない。この変わりようがすごいじゃないですか。だからさっきMくんが劇場での場面で作者の描き方を批判したんだけれども、わたしに言わせれば、経験豊富のグーロフが人目もはばからずアンナのまえにただ棒立ちに突っ立ってしまうのは、チェーホフの書き方がまずいからではないと思いますね。このときのグーロフにプレイボーイとしての余裕ないし軽薄さがもうなくなっているからだとわたしは解釈したい。物語後半のグーロフのこの変わり方をわれわれは見る必要がある。短編小説の一人の主人公、いやらしい主人公が、物語の初めで出会ったときのアンナと同じように、物語の後半では自分がうぶな状態に戻っている。

M　そうそう。だから劇場へ主人公がはいって行って彼女を見つけると、彼女があっと驚いたときにかれのほうも緊張しちゃって……。

C　そう。棒みたいに突っ立っているだけです。馬鹿みたいだよね。でも……。

M　いや、そこにぼくは最初違和感を覚えたんだがね。いま、よく分かりましたよ。

C　いや、わたしのほうもそうなんだ。手練手管の、これだけ百戦錬磨と自惚れたグーロフが、まさか緊張して犬の名前まで忘れるなんて、本人も思ってなかっただろうな。でもさ、これがやっぱり恋というものなんだよ。

Gさんが、中年、初老になってからこういうことあるのかな、まああるんだろうな、ということをね、どれだけの個人的リアリティを込めておっしゃったのか知りませんが、でもあり得るんですよ。たとえば、ゲーテは七十過ぎてから十七、八歳の少女に恋をしただけじゃなくて、結婚を本気で申し込んでいる。

M　イプセンもそうですよ。好きな女優さんの隣りに部屋を借りて、毎日薔薇《ばら》を届けるわけ。一本ずつ減らしながら。で、最後に一本になって、次の日にその一本だけ自分で持ってゆくんです。

司会　でも、おじいさんはそういう恋をしても、どうしておばあさんにはないんでしょう。

C　おばあさんだってあり得ますよ。若いときだったらわたしもね、じいさんの場合、ゲーテやイプセンにはあり得ても、その反対、つまり七十、八十のおばあさんだったらないんじゃないかと思ったでしょう。しかし、とんでもない、あるんです。リルケが書いているんですよ。

　こういう一節がある。白髪頭になって、老いさらばえて皺《しわ》くちゃになって、見る影もなくぶよぶよ太っている。でも、この女性にも、心の奥底にわれわれが視線をずうっと届かせていけば、初々《ういうい》しい十六歳のときのあの感覚がしっかりいだかれていて、これは生涯、彼女が八十、九十になって死ぬ間際までけっして失われることはない、と。それを男たちが見ることができなくなっているのが現代の世のなかだと、リルケはそう言っています。外面だけで判断しちゃう、そういう軽薄な時代が現代だと。

　女性作家で、マルグリット・デュラスだとかマルグリット・ユルスナールとか、あるいはフランソワーズ・サガンでもね、フランスの女性作家はやっぱり正直に書くんですね。女優でも、カトリーヌ・ドヌーヴとかジャンヌ・モローとか、ね。つまり中年以降になっても自分たちは女なんだ、と。女という官能的な存在であって、それは死ぬまで変わらないんだということを、彼女たちは堂々と言っていますね。

Ａ　グーロフってやっぱり女ったらしだったんでしょうね……。

C　最初はそうですよ。

A　わたしは、グーロフはなにか高尚なものを持っているのかなと思っていたんですけれども。

C　少なくとも、本人は人生に高尚なものを求めながら自覚的にずうっと生きてきた男ではないようですね。

M　でも、Aさんがそう思いたければ思ったたっていいんですよ。Cさんが説明していたことなんだけれども、あなたのなかにこう思いたいというものがあれば、それはそれでいいんですよ。

A　いいえ、無理に思いたいわけではありません。けれども、やっぱりこういう男でしかなかったのかなあと思って、ちょっとそこががっかりしたというか……。

C　ですから、小説をていねいに読んでいけば、グーロフの変化がちゃんと書いてあるわけです。オレアンダの場面のすばらしさもその変化の現われでしょう。あの丘にグーロフがそれまでなんどか行ったことがあったって、そのつど小説に描かれているような深い瞑想にふけるのが常だったとは考えにくい。やはりあの場にアンナと二人でいる、という条件がかれのなかの深い部分に眠っていたなにかにはたらきかけるんですね。

　かれのその内面の変化に即してわれわれも解釈してゆく必要がある。初めからかれにはそういうものが自覚的にあったとは言いにくい。だってこの小説の前半で終わってごらんなさい。そうすると要するにグーロフという男は俗物でしかないわけじゃないですか。ところがこの男が思いがけず、自分でも思いがけず、変わって行ってしまうのです。その変化は短編だけどちゃんと書いてある。だから後半での主人公は、このような俗物の男のなかにも、俗なる自分から脱皮して行くというか、乗り越えて行くというか、白髪になっても初心の自分に目ざめることができるようなところがある。それがやはりグーロフにもあるのです。

M　おもしろいでしょう、こういうふうに読むとね。

C　演劇的になってくるよね。

M　でも、あなたの話を聞いてよく分かったよ。ぼくにとって引っかかっているものがみなさんとちょっとちがっていたんで。どういうふうに言おうかなと思っていたんですけどね……。

いまだと性愛描写はもっとていねいに書きますね。その時代は書けなかったんでしょうね。でも、十九世紀にそういうことをテーマにしている人はチェーホフが初めてじゃないですか。それを、威厳のあるような眼鏡をかけて、髭を生やして、いかにも謹厳そうな顔をしながら書いたんだねえ。

C　Aさんがまだ腑に落ちない顔をしているようですからもう一回言いますけれども、グーロフを書いたチェーホフのすごいところと思うのはね、最初グーロフを俗物の中年男かと思わせるように書いている。また女性をひっかけるときの、その典型的な手口も見せているわけです。ところが、そのグーロフが、われにもあらず、不本意ながらも自分でほんとうの恋をするんですよ。アヴァンチュールが終わってからあとなんです。そこから主人公に変化が訪れる。モスクワの冬の訪れとともに。そこまで小説にはちゃんと書いてある。

それからあとは、かれはどうしたらいいか分からない。でも、どうすればいいんだろうと考えている。チェーホフは、「読者のみなさん、グーロフとアンナはこれからどうすればいいでしょうか」という宿題を出しているわけです。

M　別れてから気がついていくんだけど、でも原点がないとおかしいでしょう。やっぱりその、最初の出会いのときのめくるめくような記憶でしょう。

C　うん、確かにそうですね。

M　いやあ、よく分かった。分かんなかったなあ、自分で読んだときは。

C　いや、それはきみ、おかしいじゃない。きみはおれに「おまえ、まだ分かってないなあ」とくり返し言って、「人間はな、記憶のなかで自分の官能性を実現していく存在なんだ」と言ったことがあるよ。おれはそのひと言で納得させられたからね。

一同　へえぇ。

M　そんなこと言ったっけかな、おれ。（笑い）

C　いや、きみはね、もっとごちゃごちゃ言ったんだよ。それをおれがきれいにまとめたかたちで記憶しているんだ。

M　ああ、やっぱりそうか。（笑い）

C　つまり、人間がほんとうの官能を経験するのは、その行為がおこなわれているときというよりも、むしろ記憶のなかでなのだ、ということなんですね。グーロフの場合がまさにそうだったのではないかとわたしは思っています。

司会　話はいよいよ佳境にはいってゆくようですが、かなり時間も超過しましたから、続きは懇親会のときにでも。ひとまず、この会はここで終わりたいと思います。みなさん、きょうはどうもありがとうございました。（拍手）

チェーホフ略歴

アントン・チェーホフ。劇作家、小説家。一八六〇年、アゾフ海に面した港町タガンログに生まれる。十六歳のとき一家破産の憂き目に遭い、家族は夜逃げしてモスクワに移るが、アントンのみタガンログに残り学業を続ける。のちモスクワ大学で医学部に学び、卒業すると医師として独立。学生時代からユーモア小説を書いて学費に当てていた。

劇作家としては一八八七年の『イワーノフ』が最初の作品であった。好評を博したが、一八九〇年、三十歳のとき、突如として単身シベリアを横断して流刑地として知られるサハリン島への旅を思い立った。この旅で流刑地の過酷な囚人たちの生活と環境をつぶさに観察し、紀行『サハリン島』に詳しく記述、これがチェーホフ文学の転機となったと言われる。

一八九七年、喀血。転地を勧められ、クリミア半島ヤルタで静養する。九九年、ヤルタへの移住を決意し家を建てる。名作『犬を連れた奥さん』が同地で執筆される。同年、モスクワ芸術座で『ワーニャ伯父さん』が初演される。次いで一九〇一年に『三人姉妹』が初演され、マーシャ役を演じたオリガ・クニッペルと結婚する。〇四年、『桜の園』が初演されるが、これが最後の戯曲となった。同年七月、結核のため逝去。享年四十四。

参考文献

『犬を連れた奥さん』神西清訳（岩波文庫）、チェーホフ全集（ちくま文庫）など多数。

本書のこの章を亡き畏友・米山順一氏との思い出にささげる。仮名Mとして発言しているのが米山氏である。

第五章　断崖絶壁の二人だが

あとがき

本書の目次をごらんになれば一目瞭然だが、第四巻はハインリッヒ・フォン・クライストの『チリの地震』を二章にまたがって扱っている。同一作品ではあるが、それぞれ異なる時と場所で取り上げられた対談ないし講話の記録である。

第一章では、この大地震と物語の展開から呼び起こされた記憶として、一九二三年九月一日、現実に生じた関東大震災とその直後に起きた朝鮮人虐殺事件に発言者たちが言及している。原作と直接関わらないとはいえ、小説を読む一般読者の側には現実のさまざまな連想や記憶の喚起が生じるという典型的な例と言っていい。そして本叢書で扱う対談では、物語に直接関わらないそのような連想や記憶もまた発言として排除されない。偶然にもことしはその関東大震災と朝鮮人虐殺事件からちょうど百年目に当たる。第四巻を編もうと思い立ったのは昨年だったのでさして意識しなかったものの、作業が遅れてゲラを読み、あとがきを書くのがことしの段になって、偶然は偶然でなくなった。『チリの地震』が百年前の日本人読者に森鷗外の訳によってどのように読まれたかは知らないが、少なくとも現代の日本人が読み返すべき作品の一つであることは確かであろう。

さらに第二章は、副題にも暗示されているように、読者としての「わたし」の主観にいささか偏しているともみなされよう。だが、前述したように、もともと本叢書の編集上のもくろみそのものが、発言者それぞれの感想と意見に、個人としての「わたし」という主観の影を反映させたいというところにあった。したがってこの章でも、昨今の理解しがたく思われる事件のいくつかを発言者は念頭に置き、それをかつての自らの心理に照らして、かならずしも不可解かつ無縁な事件とばかりも言えないのではないかという観点から語っている。

　個人としての「わたし」という主観の影を反映させると言ったが、言うは易《やす》く行いは難《かた》い。主観もなにも、たいがいの読者が「わたし」を語ろうとしない。それはちょうど、大学の文学部の講義や演習で教授がいくら精緻な解釈や分析を作品に加えても、作品と素手《すで》で向き合った読者としての自己の感動を、もはやけっしてありていに学生の前で語ろうとしないのと同じである。それもそのはずなのだ。かれらには知識も技術もあるから解説は出来る。だが、小学生のような感動の経験というものがなくなっている。干上がった井戸から水を汲み上げることは出来ない。正直なところ、なにをどう言っていいか分からないのである。ロダンは言っている。

肝心な点は
感動すること

愛すること
望むこと
身ぶるいすること
生きることです

井戸は満々と水を湛えていてこそ井戸なのである。

本叢書および姉妹編である『日本文学の扉をひらく』叢書に収録の諸編を、読者の方々が原作と合わせてお読みになれば、少なからぬ共感とともに、右のロダンの言葉の意味するところをありありと思い起こしていただけるであろう。

第四巻もまた、上梓に当たって対話に参加していただいた方たちを始め、多くの人々にたすけられた。ＨＯＷＳこと本郷文化フォーラム・ワーカーズ・スクールの受講生のみなさん、それから円卓の会の会員のみなさんがそうであるが、何人かの方には録音からの文字起こしを担当していただいた。安里桂子・大塚和歌・山本恵美子・杉田絵理の各氏である。感謝に堪えない。

カバーの絵は金山明子さんの作品を借用させていただいた。各章の扉のカットは金山政紀さんの作品を使わせていただいた。装丁を引き受けていただいたのは追川恵子さんである。スペース伽耶の社長・廣野省三さん、編集部の廣野茅乃さんは、今回も著者の面倒な注文とわがままな希望を聞き届けてくださった。みなさん、このたびもどうもありがとうございました。

二〇二三年八月十五日

著者略歴

立野正裕（たてのまさひろ）

1947年、福岡県生まれ。岩手県立遠野高等学校を卒業後、明治大学文学部（英米文学専攻）に進み、さらに同大学大学院（文学研究科修士課程）を修了。

専攻は近現代の英米文学だが、日本の戦後文学についても評論活動をおこなう。一貫して現代における非暴力主義の思想的可能性を探求し、その問題意識から近年は第一次大戦期の「戦争文学」を「塹壕の思想」として新たにとらえ直そうと試みる。

【主な著書】『精神のたたかい——非暴力主義の思想と文学』、『黄金の枝を求めて——ヨーロッパ思索の旅・反戦の芸術と文学』、『洞窟の反響——『インドへの道』からの長い旅』、『未完なるものへの情熱——英米文学エッセイ集』、『世界文学の扉をひらく』（第一の扉、第二の扉、第三の扉）、『日本文学の扉』（第一の扉、第二の扉、第三の扉）（以上、スペース伽耶刊）など。

編著、『イギリス文学　名作と主人公』（自由国民社刊）など。

訳書、ラフカディオ・ハーン著『文学の解釈Ⅰ・Ⅱ』（共訳、恒文社）。

世界文学の扉をひらく

第四の扉

人生に深淵を見た人たちの物語

二〇二三年九月一日　初版第一刷

著　者　立野正裕

装　丁　追川恵子

発行所　株式会社　スペース伽耶

発行者　廣野省三

〒113-0033　東京都文京区本郷三―二九―一〇

飯島ビル2F

電　話　〇三（五八〇二）三八〇五

FAX　〇三（五八〇二）三八〇六

発売所　株式会社　星雲社

（共同出版社・流通責任出版社）

〒112-0005　東京都文京区水道一―三―三〇

電　話　〇三（三八六八）三二七五

FAX　〇三（三八六八）六五八八

印刷＝㈱平河工業社

乱丁・落丁本はおとりかえします。

ISBN978-4-434-32751-3